weissbooks.w

Franziska Häny
Der Rote Norden
Roman

weissbooks.w

Der Rote Norden

1.

Zusammengeknüllt, wie damals als Fötus. Aber ich schaffe es nicht, den Kopf auf die Knie zu legen, weil mein Bauch zu dick ist. Ich bin überall zu dick. Überall.
Überall Tränen. Alles ist nass. Wenigstens kann ich meine Knie halten. Wenigstens das.
Ich weine so sehr, ich weiss nur eines, ich möchte sterben.
Das Telefon. Ich höre es erst jetzt. Die Beine loslassen und ganz vorsichtig auf den Boden setzen. Die Nummer? Es ist alles verschwommen, auch wenn ich den Hörer ganz nah vor die Augen halte. Die Nummer ... ich sollte sie kennen. – Martin!

»Martin?« Wie gut, dass er da ist, wenigstens am Telefon.
»Weinst du?«

»Ja.« Man kann die Tränen nicht stoppen, auch wenn man eine Hand – die, die den Hörer nicht hält – gegen den Mund drückt.

»Warum denn?«

Mehr als ein Jahr hat er nicht angerufen und jetzt auf einmal, da ich nichts mehr sehe und mir alles wehtut vom Weinen, jetzt höre ich seine Stimme.

Wie kann ich ihm antworten? Ich soll etwas sagen.

»Das Bild, das Bild mit dem Delfin, das im Wohnzimmer hängt. Du hast mir damals den Rahmen dazu geschenkt, du hast es mir rahmen lassen, zum dreissigsten Geburtstag, vielleicht erinnerst du dich?« Meine Stimme überschlägt sich.

»Es ist kaputt, und ich bin schuld daran.«

Er sagt nichts. Also weiter. Weiter mit dieser quieksigen Stimme. Langsam.

»Die Katze, warte, ich erzähle der Reihe nach: Da gibt es eine Katze, Mimi, sie gehört dem Nachbarn. Ich lasse sie manchmal durch die Terrassentüre herein, nein eigentlich jeden Tag, wenn Kaspar nicht da ist. Ich gebe ihr dann zu trinken. Sie mag Rahm. Sie kotzt gern. Wirklich, das tönt komisch, sie kotzt gern. Es ist nur so … klare Flüssigkeit mit etwas Gras drin. Ich putze es dann auf. Kein Problem, gar kein Problem.«

Ich sehe das Bild nicht, ich sehe nur Flecken, aber ich weiss, der blaugrüne Fleck rechts, das ist das Bild.

»Das Bild ist vor einer Woche oder so heruntergerutscht. Der Nagel ist locker gewesen, der eine Nagel.

Martin, mir ist klar, wie blöd das tönt. Und zusammenhangslos. Und sogar … sogar wenn es einen Zusammenhang gäbe, ich meine, wenn ich es …«

Er sagt immer noch nichts.

»Es ist doch nur eine Fotografie.« Es ist tatsächlich seine Stimme.

»Ich weiss, dass es nur eine Fotografie ist, ich habe sie ja selber gemacht, damals auf dem Schiff, auf der Überfahrt. Da siehst du, wie blöd ich bin, ich weine so, und dabei kann man das Bild doch neu machen, aber ich habe den Eindruck, man kann es nicht neu machen. Du musst entschuldigen, dass ich …«

Und dann plötzlich habe ich das Gefühl, dass ich mich selber sehe, wie ich vornüber gekrümmt auf dem grünwollenen Polstersessel neben dem dunkelbraunen, dünnbeinigen Telefontisch sitze, wie ich den Hörer ans Ohr drücke und die linke Hand zu einer Faust balle.

Die Frau auf dem Sessel neigt den Oberkörper langsam zurück, ihr Gesicht ist geschwollen. Es ist nett, dass Martin anruft, aber sie kann ihm nicht verständlich machen, was passiert ist. Sie versteht es ja selbst nicht.

»Martin, ich hänge auf.«

»Warte doch! Bitte! Komm zum Begräbnis von Tante Sophie. Die Feier ist morgen um drei Uhr in der St. Jakobskirche in Schieren.«

Dann ist der Hörer wieder in seiner Halterung.

Die Frau hebt ihre nassen Hände hoch, spreizt sie, hält sie vor ihre Brust. Sie wendet jetzt die starren, offenen Hände hin und her und schaut offenbar darauf. Warum?

2.

Es ist ein Foto, das sie einmal selbst gemacht hat. Man sieht einen Delfin darauf. Sie ist auf einem Schiff im Mittelmeer gewesen, gleich nach der Matura, eine Reise ohne Kaspar. Danach gab es nur noch Reisen mit Kaspar. Die Erinnerung an den Delfin. Sie hat ihm, auf die Reling gestützt, lange zugeschaut. Er ist neben dem Schiff, neben ihr geschwommen. Sie hat ihn fotografiert. Und ihr Bruder hat das Bild für sie rahmen lassen. »Was wünschst du dir zum dreissigsten Geburtstag?« Und sie hat gesagt, sie hätte gerne einen Rahmen für eine Vergrösserung ihres schönsten Bildes, des Bildes von diesem Delfin. Das Foto zeigt, wie er steil hochspringt, wie er diagonal durch das Bild springt, wie er aufsteigt. Und dahinter sieht man nur blaue Wellen. Und der Delfin ist auch blau, weil er das Licht der Wellen reflektiert. Natürlich passt das Foto nicht zu dem Stich aus dem siebzehnten Jahrhundert, der all die Jahre daneben über dem Ledersofa gehangen hat. Doch Kaspar hat nicht geschimpft, weil es ja das Geburtstagsgeschenk gewesen ist. Wenn Besuch kommt, fragt manchmal jemand nach dem Delfin. Er sieht unpassend aus neben dem Stich. Aber Kaspar erklärt es ihnen.

Einer der beiden Nägel, an denen das Bild hängt, hat sich verbogen. Eigentlich merkwürdig, nach so vielen Jahren. Das Bild ist nach unten geglitten, und die Lehne des Sofas hat es aufgehalten. Die Frau hat es vom Nagel genommen, aufs Sofa gestellt. Vielleicht würde ja Kaspar den Nagel wieder befestigen. Oder eigentlich hätte sie es selber machen sollen.

Mimi hat aufs Sofa gekotzt. Das macht sie hin und wieder. Sie kotzt gern. Man muss es nur aufputzen. Sie frisst etwas Gras, und dann kotzt sie klare Flüssigkeit mit ein paar Grasstücken. Dem Sofa schadet das nicht, es ist mit glänzendem Leder überzogen. Aber offenbar hat sich Mimi vor ein paar Tagen heimlich übergeben, ohne dass die Frau es gemerkt hat. Die Grashalme kleben unten am Bild; sie sind bereits trocken. Die Flüssigkeit ist unter dem Glas ins Bild hineingelaufen. Und am Bild hochgestiegen. Das Foto ist an verschiedenen Stellen aufgerissen, hat weisse Narben, mitten im Meer und auch auf dem unteren Teil des Delfins.

Sie ist selber schuld. Sie hätte sich um den Nagel kümmern sollen.

Die Frau wendet immer noch ihre Hände hin und her.

Warum tut es so weh? Sie hat am Telefon vorhin selber gesagt: Man kann das Foto noch einmal vergrössern. Irgendwo ist sicher das Negativ. Warum tut es so weh, dass ein Foto kaputtgeht, das mehr als zwanzig Jahre neben einem Stich über einem Sofa gehangen hat?

Die Hände der Frau sind jetzt ruhig. Sie starrt auf die steifen, gestreckten Finger. Stockend und ziemlich laut sagt sie:

»Wenn das fertig ist, fahre ich weg.«

Dann lässt sie die Hände auf den Rock sinken. Sie weint immer noch.

Seltsam. Was meint die Person mit diesem Satz? Sie kann doch gar nicht weg. Sie sitzt doch in ihrem Wohnzimmer, in dem sitzt sie doch schon seit endlosen Jahren. Da kann sie noch so sehr Bilder kaputt machen und ihre Hände drehen und wenden, sie kommt da nicht weg. Da ist das Ledersofa und der grünwollene Polstersessel. Da ist der rechteckige Esstisch, an dessen einer Schmalseite ihr Mann zu sitzen pflegt, an der anderen Schmalseite, nahe der Küchentüre, sitzt sie. Der Stuhl an der Längsseite, an der weissen Wand, ist nur Dekoration. Er ist schon lange unbenutzt. Es hat Abdrücke dahinter, Zeichen in der Wand: von einem Kinderhochstuhl. Und tiefer einen von der Lehne des Stuhls, der seit Jahren keine Funktion mehr hat.

Später steht diese Person, die ich bin, auf. Sie ist dick. Sie blinzelt. Ihr Gesicht ist aufgequollen. Zögernd geht sie auf den Tisch zu. Vielleicht sieht sie schlecht. Dort, auf dem Tisch, liegt eine Brille. Sie bewegt die eine Hand fahrig über den Tisch, bis sie an die Brille stösst. Sie setzt sie auf. Dann schaut sie das Zimmer an. Das Zimmer sollte sie doch kennen! Endlose Jahre hat sie darin verbracht, wird sie darin verbringen. Das Ledersofa, der grüne Ohrensessel, der Telefontisch, der rechteckige Tisch, drei Stühle mit hoher Lehne drum herum. Eine Türe zur Küche, eine andere zu einer sogenannten Gästetoilette. Sie öffnet diese Tür und holt einen runden Handspiegel heraus, den sie auf den Tisch legt. Sie beugt sich über ihn. Der Spiegelrahmen legt sich um ihr rotes Gesicht, das sie nur undeutlich erkennen kann.

Darauf dreht sie den Spiegel um, sodass die gläserne Seite auf den Tisch zu liegen kommt. Sie blickt aus Distanz nochmals auf das Bild mit dem Delfin. Dann stapft sie breitbeinig zur Haustür. Das hätte ich nicht erwartet. Sie hat doch heute schon eingekauft! Bei der Türe sind Garderobenhaken. Sie nimmt eine weite hellbraune Jacke aus Webpelz und eine Handtasche von einem der Haken. Sie öffnet die Haustür und schiebt sich hinaus.

3.

Ich fahre weg vom Haus. Ich fahre wirklich. Das Licht aussen ist schon schummrig. Ich habe die Scheinwerfer eingeschaltet. Wohin? Heute ist Mittwoch. Normalerweise fahre ich da zum Einkaufen.

Überall sind Strassen, die einen zu irgendeinem Ort bringen. Später nehme ich eine Abzweigung, die zu einer Autobahn führt. Es ist jetzt Nacht. Es ist genügend Benzin im Tank, wie ich sehe. Vorwärts! Ich muss lächeln, weil ich ja eigentlich nicht vorwärts fahre, sondern ich fahre weg. Es sieht gleich aus, ob man vorwärts fährt oder ob man weg fährt. Von aussen, denke ich, sicht dieses Auto ganz normal aus. Es sieht aus wie alle anderen Autos, die vorwärts fahren. Niemand sieht ihm an, dass es wegfährt. Manchmal kommen noch Tränen. Einfach so kommen sie, und dann verschwimmt die Autobahn.

Die Überführung spannt sich, von weither sichtbar, über die Autobahn, sie zeichnet sich schwarz vom dunkelblauen Himmel ab. Oben auf der Überführung erkenne ich den Umriss eines Menschen, winzig, schwarz, der die Arme über den Kopf hebt. Laut hastet mein Auto auf der Strasse vorwärts.

Der Wagen vor mir schreit im Dunkeln und schliddert nach rechts. Ich realisiere in einem Sekundenbruchteil, dass offenbar etwas auf die Autobahn gefallen ist, dem er ausweichen will. Möglicherweise bin ich darüber weggefahren. Mein Auto rollt weiter.

Weit hinter der Überführung bringe ich den Wagen auf dem Pannenstreifen zum Stehen. Meine Hände verkrampfen sich am Lenkrad. Später löse ich die Finger vom Steuer und spreize langsam die Hände, sodass sie sich schwarz von der Frontscheibe abheben. Dann steige ich mühsam aus dem Auto und gehe zwei Schritte zurück. Aus dieser Perspektive ist der Himmel nicht dunkelblau; seine Farbe ist ein unklares Gemisch mit einem Rotstich. Die Überführung hebt sich scharf vom Himmel ab, und da ist der kleine Mensch erneut zu sehen. Er muss die Strasse, die von der Überführung getragen wird, überquert haben. Er hebt einen winzigen dünnen Arm und bewegt ihn leicht hin und her.

Ich spähe nach dieser Erscheinung. Und dann, langsam, verstehe ich. Der da oben auf der Überführung, gelehnt an das Gitter, das diese Überführung abschliesst, wirft Objekte, Steine wahrscheinlich, auf Autos, die unter ihm durchfahren. Hält er jetzt den Arm hoch im Triumph, weil er glaubt, getroffen zu haben? Ist das so? Ich will später darüber nachdenken. Jetzt will ich weiterfahren, wegfahren.

4.

Ich bin erstaunt und verwirrt, dass ich am anderen Morgen in einem Hotelzimmer erwache. Sonst liegt immer Kaspar bei mir. Keine Nacht ohne Kaspar. Kein Tag ohne Kaspar. Das zweite Bett neben mir ist unberührt. Ich tappe mit der linken Hand auf dem gespannten Leintuch herum. Das Bett ist wirklich leer und unberührt.

Das Zimmer ist dämmerig. Ich stemme mich im Bett hoch und schaue, auf meine Fäuste gestützt, in den dunklen Spiegel an der Wand gegenüber dem Bett. Irgendwo muss meine Brille sein. Ich habe sie unter das Kopfkissen des Zwillingsbettes gelegt. Nun erkenne ich mich im Spiegel. Seltsam sehe ich aus mit dem leicht geöffneten Mund.

Dann schiebe ich mich an den Bettrand. Ich trage den weissen Hotel-Bademantel, der im Badezimmer gehangen hat und den ich nun mit der linken Hand vor der Brust zuziehe. Ich stelle die Füsse auf den Teppichboden. Ich stapfe barfuss um die beiden Betten herum zum Fenster und schiebe die Vorhänge zurück. Es ist sonnig. Bäume und Rasen und Wege sind zu sehen; das Hotel, in dem ich mich diese Nacht einquartiert habe, hat offenbar einen Park. Ich stehe am Fenster und schaue hinaus. Das klare Grün draussen mahnt mich an den Delfin, der durchs blaue Wasser springt; es ist das gleiche Bild wie gestern – nur dass ich nicht mehr traurig bin.

Ich ziehe die Vorhänge zur Seite, und das Zimmer wird taghell. Dann gehe ich zum Bett zurück, steige hinein, stopfe mir ein Kissen hinter den Rücken und winkle die Beine unter der Decke an. Neben dem Telefon, auf dem Nachttisch, liegt ein Notizblock mit dem Logo des Hotels, nach dem ich greife. Dann nehme ich den Bleistift, der daneben liegt (auch er mit dem Logo des Hotels), und schreibe mit recht krummen Grossbuchstaben auf das oberste Blatt:

ICH BIN WEGGEGANGEN.

Und dann, darunter:

WARUM?

DER DELFIN

DER MANN AUF DER ÜBERFÜHRUNG

Ich überlege kurz. Warum schreibe ich, dass es ein Mann war? Könnte es nicht auch eine Frau gewesen sein? Aber dann schaue ich wieder auf den Notizblock und schreibe weiter:

DIE BEERDIGUNG.

Ich werde hingehen. Ich werde Martin wiedersehen. Und am Abend werde ich hier in dieses Hotel zurückkehren. Ich gehe nicht in das Wohnzimmer mit dem rechteckigen Tisch und dem grünwollenen Polstersessel zurück.

TANTE SOPHIE

schreibe ich auf den Notizblock mit dem Hotellogo. Es ist lange her, fast zehn Jahre, seit ich Tante Sophie zum letzten Mal gesehen habe. Wie war es damals? Ich versuche, aus Erinnerungsbruchstücken einen Sinnzusammenhang herzustellen. Merkwürdig, ich habe Tante Sophie nahezu vergessen, und dabei hat sie doch zu meinem Leben gehört.

Und Folgendes kann ich zu Tante Sophie rekonstruieren:

Sie ist die ältere Schwester meiner Mutter. Im selben Jahr, in dem meine Mutter geheiratet hat, ist meine Grossmutter gestorben. Und mein Grossvater hat durchgesetzt, dass seine unverheiratete Tochter (sie war damals eine junge Frau, jünger als Violet – das ist meine Tochter – heute, stelle ich überrascht fest) in das Haus, in dem sie aufgewachsen ist, zurückkehrte. Sie hat wieder dasselbe Zimmer bezogen, in dem sie früher gewohnt hat. Natürlich war meinem Grossvater Putzen oder Kochen nicht zuzumuten. Und wiederum – darin waren sich meine Eltern mit Tante Sophie und dem Grossvater einig – wäre es unsinnig gewesen, wenn er nochmals geheiratet hätte, nur damit er jemanden fürs Kochen und Putzen gehabt hätte. Mein Grossvater war noch ein recht junger Mann gewesen, damals, als seine Frau starb, wenig über fünfzig war er, und wenn meine Eltern seinen Entschluss, nicht mehr zu heiraten, erwähnten, so deuteten sie diesen Entschluss immer als Zeichen seiner Liebe zu seiner verstorbenen Frau. Tante Sophie, die bis dahin als Sekretärin gearbeitet hatte, arbeitete auch weiter in diesem Beruf, aber nur noch zu fünfzig Prozent, denn schliesslich musste sie sich nun um das Wohlergehen des Grossvaters kümmern.

Jetzt ist Tante Sophie gestorben, und ich werde heute zu ihrer Beerdigung gehen. Martin hat gestern angerufen, er hat mir das mitgeteilt.

Im Moment, da ich diesen Gedanken denke, weiss ich, dass etwas geschehen ist, was ausserhalb der Gesetze der Realität liegt. Ich fahre zusammen.

MARTIN IST TOT. Er ist seit drei Jahren tot. Ich habe seine Todesanzeige selber verfasst, ich habe sie bezahlt, und ich bewahre sie in der Bibel auf, die sich (links oben) im Büchergestell in dem Haus befindet, das ich gestern verlassen habe. Kein Sarg, keine Beerdigung, aber eine amtliche Erklärung und eine Todesanzeige. Martin ist seit drei Jahren tot, wie ist es möglich, dass er anruft? Ein ganz normales Gespräch – natürlich nicht normal, weil ich so geweint habe, weil ich aufgehängt, ihn abgeklemmt habe, aber er hat völlig normal geklungen. Mein Spiegelbild mir gegenüber gleicht mir ganz und gar, aber das ist kein Beweis dafür, dass etwas Übernatürliches passiert ist. Wahrscheinlich war ich gestern so ausser mir, dass ich mir das Telefongespräch eingebildet habe.

Ich stehe auf, gehe ins Bad. Ich dusche, ich gehe nach unten und frühstücke, und unentwegt beschäftigt mich der Gedanke an das gestrige Telefongespräch: Habe ich es mir eingebildet? Hat sich jemand einen Scherz erlaubt, indem er vorgegeben hat, Martin zu sein?

Im Park des Hotels steht unter einer Blutbuche mit weit ausgestreckten Armen eine Holzbank. Nach dem Frühstück sitze ich da mit dem Notizblock, auf dem ich meine Fragen notiert habe. Vor mir liegt ein kleiner, fast ganz mit Seerosenblättern bedeckter Teich. Den Horizont bildet das Hotel, ein roter Backsteinbau. Es ist schön hier. Und ich empfinde – weit mehr noch als im Hotelzimmer – dass ich jetzt ausserhalb der Beziehungen und Verbindungen, die mich ausmachen, die mich bis gestern ausgemacht haben, existiere.

Rasch entschliesse ich mich, um drei Uhr zur St. Jakobskirche in Schieren zu fahren. Ich werde meine Erinnerung ad absurdum führen. Eine Stockente landet mit vorgestrecktem Hals, gespannten Flügeln und gespreizten Schwimmfüssen zwischen den Seerosenblättern im Teich. Das Wasser platscht und der Vogel quakt.

5.

Die St. Jakobskirche befindet sich am Rand des Städtchens. Sie ist klein, eher eine Kapelle, weiss verputzt, mit einem kleinen, mit schwarz gestrichenem Blech verkleideten Turm auf dem Dach, aus dem es heftig bimmelt. Der schmale Weg zur weiss gestrichenen Holztüre, die offen steht, ist mit eckig beschnittenem Buchsbaum gesäumt. Einige schwarz bekleidete Menschen stehen auf diesem Weg. Jetzt bewegen sie sich langsam zur offenen Kirchentüre. Ich habe Kaspars Auto auf einem Platz in der Nähe parkiert und mich sozusagen an die Kirche herangepirscht. Ich bin erstaunt, dass offenbar tatsächlich ein Begräbnis stattfindet. Tante Sophie ist gestorben. Sie muss weit über achtzig gewesen sein.

Ich schliesse mich den schwarzen Leuten an, die die kleine Kirche betreten. Ich bin verlegen, denn ich trage natürlich dieselben Kleider wie gestern. Als Angehörige sollte ich wahrscheinlich vorne sitzen. Aber unpassend gekleidet wie ich bin, setze ich mich in die hinterste Kirchenbank. Irgendwo fühle ich die unsinnige Hoffnung in mir, dass Martin auftaucht. Wenn das, was er am Telefon gesagt hat, wahr ist, so muss es doch auch wahr sein, dass er angerufen hat, dass er lebt. Der Gedanke, dass Martin lebt, von dem die ganze Welt (sofern die Welt ihn gekannt hat) weiss, dass er tot ist, beunruhigt und ergreift mich.

Die Kirche ist dämmrig. Die Tante liegt da im glänzenden Holzsarg. Die Orgel. Der Pfarrer ... Er redet von der Tante, die da liegt. Er sagt, dass sie, nach allem, was er gehört habe – das muss Martin ihm erzählt haben – hilfsbereit und immer für andere da gewesen sei. Ich schaue auf das glänzende Fussende des Sargs. Die Tante hat tatsächlich ihr Leben beim Grossvater zugebracht. Als der Grossvater alterte und verfiel, hat sie ihn gepflegt. Vorher hat sie für ihn gekocht, aufgeräumt und geputzt. Und dann hat sie ohne den Grossvater im Haus des Grossvaters weitergelebt. Seinen Namen hat sie nicht vom Schild an der Haustür, vom Schild auf dem Briefkasten entfernt.

Ich weiss nicht, wie die Tante gestorben ist. Der Pfarrer weiss es auch nicht. Er spricht von der Schwester in Christo, die voller Hilfsbereitschaft und Freude gewesen sei und jetzt zu ihrem Schöpfer gerufen worden sei. Die Trauergemeinde, sagt er, werde die Tante in der ihr eigenen Art im Gedächtnis behalten. Es dünkt mich seltsam, hier zu sein, in der falschen Kleidung, an diesem dunklen Ort, und vorne redet der Mann im schwarzen Talar einwandfreie Sätze, die unsinnig und eigentlich albern sind. Ich habe plötzlich den Eindruck, selber im Sarg zu liegen. Der Pfarrer redet genau dasselbe über mich. Ich bin hilfsbereit und freudvoll gewesen. Und der Schöpfer hat mich gerufen. Ich liege im Sarg. Und die Nachbarn behalten mich in der mir eigenen Art im Gedächtnis. Die Orgel tönt erneut. Was ist meine eigene Art? Alle Menschen in der Kirche stehen auf. Ich stehe auch auf. Der Pfarrer betet für die Verstorbene. Wir singen zusammen ein Lied, vorne ist auf einer Tafel angezeigt, welche Nummer das Lied im Gesangbuch hat.

Der Sarg glänzt. Offenbar ist das Holz lackiert. Dann setzen sich alle wieder. Der dunkle Raum hallt etwas.

Der Pfarrer hat ein müdes, auseinanderfallendes Gesicht und einen Seitenscheitel. Er sagt, er wolle jetzt noch im Namen der Familie und der Angehörigen danken. Er sagt, die Trauerfamilie danke allen Menschen, die sich um Rosa Immer bemüht hätten, die ihr geholfen hätten, ihr in den letzten Monaten beigestanden seien. Nach einigen Sekunden begreife ich erst, was das heisst. Das heisst, dass das gar nicht Tante Sophies Beerdigung ist. Es ist die Beerdigung einer Frau, die Rosa Immer heisst. Und ich denke: o Gott, was mache ich hier? Wir stehen alle wieder auf. Wir sprechen im Chor das Vaterunser. Wir singen noch ein Lied, dessen Nummer vorne angezeigt ist. Der Mann im schwarzen Talar spendet uns seinen Segen. Das kommt mir bizarr vor. Wie könnte er mir die Kraft Gottes geben? Dann setzt die Orgel ein. Sie dröhnt laut, zu laut für die kleine Kirche. Die Menschen vor mir gehen nun alle zum offenen Ausgang. Ich hoffe, dass ich entwischen kann. Doch der Pfarrer steht an der Türe und gibt jedem, der hinauswill, die Hand. Wie ich an der Reihe bin, schaut er mich scharf an und fragt dann: »Sophie?«

Verdattert nicke ich. Er sagt: »Ich muss Ihnen etwas geben.« Er greift mit der linken Hand in den Talar – offenbar hat der Talar eine Tasche – und fördert einen Briefumschlag zutage. »Das ist für Sie«, sagt er.

Der Brief ist in meiner Hand, der Pfarrer lächelt mir zu und streckt dann seine rechte Hand bereits der Frau, die hinter mir steht, entgegen. Verblüfft mache ich einige Schritte, stehe kurz still und beschliesse, zum Auto zu gehen und den Brief erst dort zu öffnen.

Ich sitze im Ledersitz des Mercedes. Auf dem Umschlag steht *Sophie*, nur *Sophie*. Ich kenne die Schrift, es ist Martins Schrift. Mein Herz klopft. Der Umschlag ist zugeklebt. Ich habe Mühe, ihn zu öffnen. Ich falte das handschriftlich beschriebene Blatt auseinander.

»Liebe Sophie«, steht da in Martins Schrift, »ich bitte Dich ganz dringend, heute noch Tante Sophie zu besuchen. Sie wohnt am selben Ort wie früher. Liebe Grüsse und vielen Dank, Dein Martin.«

Der Brief liegt auf meinem Schoss. Meine Hände zittern. Der Brief kommt von Martin. Kein Zweifel. Das bedeutet ... das bedeutet, dass Martin lebt. Jetzt halte ich mich am Lenkrad fest. Ich lächle meinen Händen und dem Lenkrad zu. Mein Herz klopft immer noch. Es gibt Wunder, denke ich. Das erste Wunder ist, dass ich mich aus dem Zimmer mit dem rechteckigen Esstisch und dem Ledersofa gelöst habe. Das zweite Wunder ist, dass Martin, der gestorben ist, lebt.

Ich verlasse meine Parklücke und fahre zum Haus der Tante, das sich nicht weit entfernt von der St. Jakobskirche befindet. Ich fahre zum Haus der Tante, das ich mehr als zehn Jahre lang nicht mehr betreten habe. Damals, wie ich das letzte Mal dagewesen bin, ist es noch das Haus des Grossvaters gewesen. Ein Vorstadt-Einfamilienhaus in einem Garten, der sich mit einem Jägerzaun zur Strasse schliesst; daneben, hinter Zäunen, weitere sehr ähnliche Häuser. Ich parke den Wagen neben dem kleinen Tor aus verwitterten Latten. Die Front des Hauses ist fast vollständig von Efeu bedeckt. War da früher auch Efeu? Habe ich ihn früher nur nicht bemerkt? Einige bemooste Schieferplatten führen zur Haustüre. Ich klingle.

6.

Dreimal muss ich läuten, bis die Tante aufmacht. Die Türe öffnet sich eine Handbreit und wird dann durch eine straff gespannte eiserne Türkette gestoppt. Durch die dunkle Öffnung äugt eine alte Frau hinaus. Ich spähe hinein. Ich sehe, dass ihr Gesicht sich verändert hat. Es ist abgemagert. »Wer sind Sie?« fragt sie zweimal mit heiserer Stimme. Sie kennt mich nicht mehr »Ich bin Sophie, Tante Sophie.« »Sophie? Ich kenne Sie nicht! Ich kenne keine Sophie!« Sie hat nicht vor, mich in ihr Haus zu lassen. Sie schliesst die Türe. Ich poche dagegen. Ich rufe: »Ich bin doch dein Patenkind, Tante Sophie! Ich bin doch Sophie!« Die alte Frau öffnet erneut eine Handbreit. Sie zwinkert, ihre Augen suchen mein Gesicht ab. Dann breitet sich ein Strahlen aus in ihrem Gesicht. »Die kleine Sophie? Du bist die kleine Sophie? Komm herein!« Sie schliesst die Türe, um die Kette zu lösen. Nach kurzer Zeit öffnet sich die Türe erneut. Das Licht fällt auf die Tante. Sie hat sich verändert. Da steht sie unter der Türe ihres Hauses in Strümpfen und einem abgetragenen Rock. Ihre offenen grauen Haare fallen ihr über den Rücken. Ich schäme mich, wie ich sie anblicke. Ich bin nicht die kleine Sophie, die gibt es seit sehr langer Zeit nicht mehr. Aber warum komme ich erst jetzt in dieses Efeuhaus? Sie braucht doch Hilfe, wie mir scheint.

Ich trete ein. Tante Sophie schliesst ihre Haustüre und legt die Kette vor.

Das Innere des Hauses hat sich nicht verändert. Rechts das Wohnzimmer, der dunkle Tisch, der mit blinden Nägeln beschlagene, speckige Leder-Lehnstuhl des Grossvaters in der Ecke. Die Luft ist abgestanden. Daneben Grossvaters Zimmer – ich erinnere mich an sein Bett, das mit einem grossen Leintuch überzogen war, seinen braunen Schreibtisch, den er immer abgeräumt hatte, bis auf ein paar Stifte in einer steinernen Schale. Ich öffne die angelehnte Tür zu diesem Zimmer. Hier ist einiges anders als in meiner Erinnerung, das Bett sieht ungemacht aus und schmuddelig, den Schreibtisch überdecken Papiere, vor allem alte Zeitungen, wie mir scheint. Doch die Tante steht im Wohnzimmer und ruft: »Komm, Sophie, komm her, setzen wir uns, du musst mir erzählen!« Sie setzt sich im Wohnzimmer auf einen der hochlehnigen Stühle, die um den dunkelbraunen Tisch herum gestellt sind. Auch diese braunen Lederrücken sind mit stumpfen Nägeln versehen; es sieht genau so aus wie damals, als ich ein kleines Mädchen war und meinen Grossvater und meine Tante besuchte. Sie deutet auf einen zweiten Stuhl, auf dem ich Platz nehme. »Erzähl!«, sagt sie noch einmal und lächelt mich runzelig an. »Wie geht es deinen Eltern? Wie geht es deinen Geschwistern?«

Meine Mutter ist seit über dreissig Jahren tot, mein Vater lebt seit vielen Jahren mit einer neuen (jüngeren) Lebenspartnerin zusammen (was zur Feindschaft zwischen ihm, meinem Grossvater und meiner Tante geführt hat), meine ältere Schwester Leonie ist als neunjähriges Kind gestorben. Was kann ich auf die Frage der Tante antworten? Ich sage: »Es geht ihnen gut, Tante Sophie.«

»Es geht ihnen gut«, wiederholt sie. »Hat sich niemand erkältet?«

Ich schüttle den Kopf: »Nein, sie sind alle gesund.«

Sie lächelt erneut. »Das freut mich.«

»Wie geht es dir, Tante Sophie?« Sie geht nicht auf die Frage ein, sondern entschuldigt sich, keinen Kuchen für mich zu haben, da sie nichts von meinem Besuch gewusst habe. Ich schlage vor, dass wir gemeinsam Tee machen könnten. Damit ist sie einverstanden, und wir gehen in die Küche.

Auf den ersten Blick hat sich die Küche nicht verändert. Die Flächen sind mit Kunststoff, der helles Holz imitiert, bezogen, Herd, Spüle und Abtropfbrett sind geputzt. Doch auf dem Küchentisch und auf dem kleinen Abstelltisch daneben sehe ich Schwärme von

Fruchtfliegen. Die Ursache dafür sind Dutzende von Marmeladengläsern, die, leergegessen, offen stehen und über die beiden Tische verteilt sind; fast alle Schraubverschlüsse liegen einfach neben den Gläsern. Die kleinen Fliegen bedecken dicht die Gläser, die Deckel, die Oberflächen der Tische, und wenn ich mit der Hand in ihre Nähe komme, steigen sie als gelbliche Wolken auf.

Die Tante kocht Wasser in einem ausgebeulten kleinen Topf. Sie gibt mir zwei geblümte Porzellantassen, die ich ins Wohnzimmer trage. Ich gehe in die Küche zurück, erhalte eine geblümte Zuckerdose und einen kleinen Krug mit Milch, die ich ebenfalls ins Wohnzimmer bringe. Unterdessen hat sie den Tee aufgegossen und trägt die Kanne zum Wohnzimmertisch. Wir sitzen am Tisch, nehmen Milch und Zucker für unseren Tee. Sie wirft vier Stück Zucker hinein.

Dann sagt sie wieder: »Erzähl, Sophie!«

Was soll ich sagen? Ich kann nicht erzählen, dass ich nur hierhergekommen bin, weil Martin mir einen Brief geschrieben hat. Ich kann nichts von Kaspar erzählen. Ich kann schon gar nicht erzählen, dass ich gestern mein Haus, das Haus, in dem ich fast dreissig Jahre gewohnt habe, verlassen habe, dass ich es immer noch nicht fasse, aber dass ich fast sicher weiss: Ich werde nicht zurückkehren. Ich kann nicht erzählen, dass Martin eigentlich verstorben ist. So sage ich: »Ich habe eine Tochter.«

»Eine Tochter?«, echot sie. Früher, als Violet noch ein Kind war, habe ich Tante Sophie und Grossvater manchmal zusammen mit meiner Tochter besucht.

»Wie geht es deiner Tochter?«, fragt sie.

Das wüsste ich auch gern. So sage ich: »Es geht ihr gut. Sie ist Lehrerin.«

»Lehrerin? Ja, ist sie denn erwachsen?«

Ja, sage ich, Violet ist zweiunddreissig. Sie wohnt schon lange nicht mehr zuhause.

»Aber es geht ihr gut?«, fragt die Tante.

»Es geht ihr gut. Sie unterrichtet gern.« Ich vermute, dass das eine Lüge ist. Meine Tochter kommt an Weihnachten nach Hause. Und zu Kaspars Geburtstag. Zu ihrem oder meinem Geburtstag treffen wir uns irgendwo in Zürich. Sie hat mich nie in ihre Wohnung eingeladen.

Die Tante meint, Lehrerin sei ein schöner Beruf. Er sei so vielseitig. Dem stimme ich zu. Sie trinkt ihren Tee schlürfend aus. Dann erklärt sie, sie sei nun müde. Sie wolle sich hinlegen. Ich sehe, wie sie sich mühsam erhebt, den Stuhl wieder an den Tisch schiebt und mit steifen Schritten zum Nebenzimmer geht. »Bist du noch da, wenn ich wieder wach bin?«

Ich versichere ihr, dass ich bleibe. Beruhigt legt sie sich in das Bett, das ehedem Grossvaters Bett war.

Ich trage das Teegeschirr in die Küche.

Dort spüle ich die Tassen und den Milchkrug. Und anschliessend fülle ich den Ausguss mit heissem Seifenwasser und ertränke die Marmeladengläser darin. Nach einer halben Stunde stehen über fünfzig blank geputzte Gläser auf dem Abtropfbrett. Keine einzige Fliege ist mehr zu sehen. Ich poliere die Oberflächen in der Küche der Tante mit Putzessig; einen Rest davon habe ich in einem der Schränke gefunden, und nehme mir vor, noch ein scharfes Putzmittel zu kaufen und die Küche damit ein zweites Mal zu säubern.

Und jetzt? Ich öffne die Türe zum Zimmer, in dem die Tante schläft, und sehe, dass sie noch nicht wach ist. Das schlafende Gesicht wirkt eingefallen, fast wie das einer Mumie. Ich könnte mich nun im Wohnzimmer auf einen der speckigen Lederstühle setzen und warten. Stattdessen mache ich etwas, was ich, seit ich ein Kind war, nicht mehr getan habe: Ich steige die Holztreppe hoch in den ersten Stock. Die Treppe kracht bei jedem meiner Schritte. Oben öffne ich die erste Türe, und dann passiert es:

Ich sitze auf dem einen Bett in diesem Zimmer, meine Füsse berühren den Boden nicht, ich bin sechsjährig, und am Fenster lehnt meine grosse Schwester Leonie, sie ist neun. Sie ist schön, sie hat langes blondes Haar, das sie offen trägt; nur die Schläfenhaare sind hochgesteckt. Mir hat Mama Ponyfransen geschnitten, und ich habe eine Zahnlücke vorne. Wir sind bei unserem Grossvater in den Ferien. Grossvater hat Leonie eine Katze versprochen. Sie strahlt, sie erklärt mir, wie wir beide auf die Katze aufpassen werden – sie mehr, ich weniger, weil ich ja doch noch klein bin, kleiner als sie jedenfalls, aber natürlich nicht so klein wie Martin. Verglichen mit Martin, bin ich schon recht gross und vernünftig. Ich staune sie an, sie weiss alles. Das Fensterlicht beleuchtet eine Hälfte ihres Gesichtes und ihr Haar glänzt.

All das sehe ich jetzt. Ich gehe auf das Bett zu, setze mich, aber meine Füsse erreichen den Boden. Wir haben keine Katze bekommen, denn Leonie ist drei Wochen nach den Ferien beim Grossvater von einem Lastwagen überfahren worden, und ich habe immer gedacht, es wäre besser gewesen, der Lastwagen hätte mich überfahren, weil ich eine Zahnlücke hatte. Leonie ist in der Ballettaufführung des Pfalzdorfer Kinderballetts ganz wichtig gewesen, sie hat die Zuckerprinzessin getanzt; ich bin eines der schwarzen Pferdchen in der hinteren Reihe gewesen. Und es sind nicht die drei Jahre, die sie älter ist als ich, die diesen Unterschied zwischen uns ausmachen, denn wie ich neun bin, bin ich immer noch das schwarze Pferdchen in der hinteren Reihe in der Aufführung des Pfalzdorfer Kinderballetts. Es wäre wirklich besser und gerechter gewesen, der Lastwagen hätte mich überfahren; aber Mama hat ja nicht auswählen können. Das Bild, wie Leonie als Zuckerprinzessin im rosaroten Tutu auf den Zehen steht und lächelt und nach oben schaut, hat für immer bei meinen Eltern auf dem Klavier gestanden.

Ich stehe auf. Das Zimmer riecht anders als damals, aber es sieht gleich aus. Nach fünfzig Jahren sieht es immer noch wie damals aus. Und die Sonne scheint auch gleich durch das Fenster. Leonie ist ein neunjähriges Kind geblieben, und ich bin jetzt dick und alt. Ich gehe in die Diele zurück. Ein Bad ist da und noch zwei andere Zimmer. In beiden scheint nie die Sonne. Das eine ist das Schlafzimmer der Grosseltern; als die Grossmutter noch lebte, haben sie und Grossvater hier oben geschlafen – zwei Betten nebeneinander, dunkles Eichenholz, mit weissen Laken überzogen, verstaubt. Neben jedem Bett ein Nachttisch aus demselben Holz. Ein grosser dunkler Schrank. Das andere Zimmer ist das Zimmer der Tante gewesen. Immer hat sie neben dem Elternzimmer geschlafen. Dunkel und staubig ist auch dieses Zimmer; ein Bett, ein Schrank, ein kleiner Schreibtisch.

Ich werde hier schlafen, in diesem Tantenzimmer, denke ich. Ich werde natürlich zum Hotel mit dem Park und dem Teich zurückfahren und meine Rechnung bezahlen, aber danach komme ich hierher zurück. Mir scheint, die Tante braucht mich. Es ist gut, dass Martin diesen Brief geschrieben hat. Ich höre, wie unten das Telefon klingelt. Ich trete in den Flur, schliesse die Türe des Tantenzimmers hinter mir und lausche. Die Tante hat den Hörer abgenommen. Der Apparat steht offenbar gerade neben dem Bett, in dem sie geschlafen hat. Dann höre ich, wie sie durch das Zimmer geht und die Türe zum Flur öffnet. Sie ruft: »Sophie? Ist hier eine Sophie?«

Ich spüre: Kaspar hat mich gefunden. Ungeheure Angst steigt in mir hoch. »Jetzt hat er mich«, denke ich. Ich bewege mich nicht. Die Tante ruft nochmals »Sophie?« Sie geht ins Zimmer zurück. Sie nimmt den Hörer auf und sagt: »Es ist keine Sophie da, Martin!«

Martin? Martin? Ich eile, so schnell ich kann, die laute Holztreppe hinunter. »Ich bin da!«, rufe ich.

»Martin?«, sagt die Tante freundlich. »Vielleicht ist sie doch da.«

Ich reisse ihr den Hörer, den sie mir entgegenstreckt, aus der Hand.

»Martin?«

»Sophie …«

Ich sage nichts.

»Sophie … nimm ein Flugzeug, nach Imalo im Roten Norden. Ich warte dort auf dich.«

Ich verstehe nicht, was er meint. Darum wiederhole ich »Martin?« Es ist wirklich seine Stimme.

»Imalo im Roten Norden«, wiederholt er. »Bitte, Sophie.«

»Aber … ich bin hier, bei Tante Sophie. Sie braucht mich.«

»Ich brauche dich auch. Bitte Sophie.« Seine Stimme tönt drängend. »In drei Tagen. Bis dann hast du jemanden gefunden, der Tante Sophie beisteht. Du schaffst das.«

Ich sage nichts.

Er fragt: »Sophie?«

Ich sage immer noch nichts, was soll ich sagen. Ich höre seine Stimme, das genügt.

»Bitte, Sophie. Ich muss da etwas erledigen. Ich brauche dich wirklich. In drei Tagen. Ich warte am Flughafen von Imalo auf dich.«

Ich schweige und höre.

»Ich warte auf dich, Sophie. Es gibt nur einen einzigen Flug, der in Imalo am Abend ankommt. Ich stehe am Flughafen und warte.«

»Ja«, sage ich.

»Ja?«, fragt er. Seine Stimme klingt erleichtert. »Denk daran, ich warte auf dich.«

Ich sage nochmals: »Ja«.

»Bis bald«, sagt Martin. Er hängt auf.

»Er hat aufgehängt«, sage ich zu Tante Sophie.

Sie sieht mich an und nickt.

7.

An jenem Abend bin ich zum Hotel zurückgefahren. Ich habe der Tante versprochen, am nächsten Tag wieder bei ihr zu sein.

Bevor ich einschlafe, nehme ich den Notizblock mit dem Logo des Hotels zur Hand. Auf das oberste Blatt schreibe ich MARTIN. Aber dann blättere ich um. Ich muss jetzt zuerst an die einzelnen Punkte denken, die ich erledigen soll. Also schreibe ich:

Flugkarte
Tante Sophie helfen
Mein Geld
Das Auto
Kleider kaufen

Neben »Kleider« quetsche ich ein »etc.« hinein. Ich kann ja nicht ständig in derselben Unterwäsche herumlaufen. Aber das ist, gemessen an den restlichen Punkten, das kleinste Problem. Martin hat gesagt: »Das schaffst du.« Wenn jemand, der tot war und wieder ins

Leben zurückgekehrt ist, sagt, dass ich etwas schaffe, dann ... dann schaffe ich es möglicherweise auch. Das ist so etwas wie eine Verpflichtung.

Dennoch – auch wenn ich mir das immer wieder zur Beruhigung sage – schlafe ich lange nicht ein.

8.

Am anderen Morgen beim Frühstück im Hotelrestaurant habe ich den Notizblock immer noch bei mir. Ich schaue mir die fünf Punkte an, während ich kleine Klumpen Rührei mit der Gabel aufspiesse und in den Mund befördere. »Kleider kaufen« ist einfach. Aber die anderen Punkte sind schwierig, ich habe Angst davor, sie anzugehen. Ich habe mich nie in diese Bereiche hineingewagt, sie waren Kaspars Distrikt und er hat darüber gewacht, dass ich keinen dieser Bereiche anrühre. Ich hole mir noch eine weitere Portion Rührei am Buffet. Und während ich sie Gabel für Gabel verzehre, beschliesse ich, mit »Tante Sophie helfen« zu beginnen, dieser Punkt ist nicht ganz so unüberwindbar schwierig wie die anderen. Dann verlasse ich das Hotelrestaurant. Wo soll ich anfangen? Wie soll ich anfangen? Zögernd gehe ich in die Hotelhalle.

Ich lehne mich an eine Säule, am liebsten würde ich mich hinter ihr verstecken. Ich schaue von da der schwarzhaarigen Frau und dem hellblonden Mann hinter dem Empfangstresen zu, die immer neue Gäste abfertigen. Es ist dieselbe Dame, bei der ich mich vorgestern hier eingetragen habe, sie hat mir auch die Zimmerschlüssel gegeben und mir gesagt, sie würde mir jederzeit gerne helfen. Das sind nur Floskeln. Ich weiss das. Aber der grosse Zeiger der Uhr bewegt sich immer weiter. Ich bin ratlos; ich weiss nicht weiter.

Vielleicht kann sie mir wirklich helfen?

Ich gehe langsam zum Empfangstresen und blicke dieser Frau im blauen Kostüm so lange in die Augen, bis sie mich fragt, ob sie etwas für mich tun könne. Ich bin verlegen. Ich frage sie, ob sie mir ein Telefonbuch geben wolle. Und mit diesem Telefonbuch ziehe ich mich auf einen Sessel in der Lobby zurück. Ich suche unter »Altenpflege«, doch ich finde nichts. Ich suche unter »Haushaltshilfe«, aber auch diesen Begriff gibt es nicht im Verzeichnis. Was jetzt? Der grosse Zeiger der Uhr bewegt sich, ich habe Angst; ich muss eine Lösung finden, aber wie?

Schliesslich bringe ich der Frau im blauen Kostüm das Telefonbuch zurück, und in dem Moment, da sie mit einem »Dankeschön!« das Buch entgegennimmt, besiege ich meine Angst, die mir wie ein Brocken im Hals steckt. Ich bitte die Frau hinter dem Tresen um Hilfe. Ich sage ganz einfach, dass ich jemanden suche, der meiner sehr alten Tante, die allein in ihrem Haus wohnt, beisteht. Die schwarzhaarige Dame im blauen Kostüm zieht ihre nachgestrichelten Augenbrauen zusammen und fragt: »Sie suchen *Home Care*?« Sie spricht diesen Begriff mit englischem Akzent aus. Ich nicke. Ich habe nicht gewusst, dass das so heisst. Sie tippt etwas auf die Tastatur, die vor ihr liegt (sie hat glänzend lackierte rosa Fingernägel), notiert dann eine Telefonnummer auf einen Zettel, den sie mir reicht, und meint, ich möchte doch vom Telefon in meinem Zimmer aus anrufen.

Ich fahre mit dem Lift zu meinem Zimmer. Ich bin sehr erleichtert. Ich setze mich auf das Bett (es ist schön bezogen, es ist das Bett neben dem Bett, in dem ich geschlafen habe), zögere und wähle dann die Nummer auf dem Zettel. Die Stimme eines jungen Mannes (wie mir scheint) gibt mir Auskunft auf meine Fragen. Er sagt, sein Institut habe noch freie Kapazitäten. Auch er verwendet den Begriff »Home Care«. Gleich am Montagmorgen werde er eine Mitarbeiterin vorbeischicken, die in einem fachgerechten *Assessment* die Bedürfnisse meiner Tante feststellen werde. Warum »Assessment«?, denke ich. Warum »Home Care«? Warum englische Begriffe? Aber ich gebe mir Mühe, seine Sprache zu sprechen. Ich bitte ihn, ob er dieses *Assessment* nicht vorverschieben könne, da ich am Montag nicht mehr da sei. Wie kann ich meiner Tante beibringen, dass sie, die allein lebt, jemanden, der mit ihr ein *Assessment* durchführen möchte, ins Haus hereinlassen soll? Die Stimme am anderen Ende der Telefonleitung versteht erstaunlicherweise meine Bedenken. Er verspricht mir, heute abend um sechs Uhr persönlich im Haus der Tante vorbeizukommen.

Ich hänge den Hörer ein. Ich gehe ans Fenster und schaue auf den Park hinaus: Bäume und Rasen und Wege in der Sonne. Und dahinter sind die Blutbuche und der Teich voll von Seerosenblättern. Und wieder erinnere ich mich an den Delfin. Es ist nicht unmöglich gewesen, es ist nicht einmal schwer gewesen, jemanden zu finden, der bereit ist, gegen Geld meiner Tante zu helfen.

Ich sehe kurz auf den Notizblock mit den fünf Punkten. Ich weiss, ich kann den Punkt »Tante Sophie helfen« noch nicht abstreichen. Aber ich bin auf dem Weg dahin.

Ich packe den Block in meine Handtasche. Es ist schade, dass ich aus dem Hotel ausziehen muss. Aber ich habe dringliche Aufgaben: Ich muss mich um Tante Sophie kümmern. Ich muss zu Martin reisen. Tante Sophie braucht mich. Martin braucht mich. Ich fahre mit dem Lift nach unten.

In dem Moment, da ich der schwarzhaarigen Dame am Tresen meine Kreditkarte reiche – sie streckt eine gepflegte Hand aus, meine ist ungepflegt und plump –, weiss ich, was ich als nächstes angehen muss: Auf der Kreditkarte steht mein Name, aber alles, was ich mit dieser Kreditkarte bezahle, wird mithilfe eines Kontos beglichen, das auf Kaspars Namen lautet, und auf das Monat für Monat Kaspars Gehalt einbezahlt wird.

Mit dem Mercedes fahre ich zu meiner Bankfiliale. Ich mache mir keine Gedanken, dass Kaspar mich sehen könnte; er ist im Moment in seinem Büro, das ist sicher. Auch hier steht eine Frau hinter einem Tresen. Die hier ist jedoch sehr jung und blondlockig. Ich zeige ihr meine Bankkarte und sage, dass ich mit meinem Berater sprechen möchte. Sie lächelt. Es ist ein Lächeln, das ich zu kennen glaube. Es bedeutet so viel wie »dicke dumme Hausfrau«. Dann spielt sie mit den Fingern auf der Tastatur vor ihr. Ich denke, sie sieht jetzt mein Konto, das heisst Kaspars Konto. Und wieder lächelt sie, aber nun bedeutet ihr Lächeln etwas anderes. Sie telefoniert. Sie bittet mich, mich doch zu setzen, Herr Anderegg werde gleich kommen.

Ich sitze auf einem der kubischen Chromstahlledersessel, die sich die Bank für Wartende ausgedacht hat. Ich habe Angst. Ich habe mir auf dem Parkplatz des Hotels, auf dem Fahrersitz des Wagens, einen Plan ausgedacht; möglicherweise funktioniert der Plan nicht. Ich schaue auf meine hässlichen Hände, die auf meinem Schoss liegen, sehe an meiner linken Hand den mattgewordenen Ehering. Ich sage mir, dass ich nur Angst habe, weil ich jetzt in einem Kaspar-Bereich handle. Diese Bereiche waren all die Jahre »Todesstreifen«, wenn ich mich ihnen versehentlich näherte, wurde Kaspar eisig, er presste Kiefer und Lippen zusammen, und sprach, nachdem er etwa eine Minute mit dieser Miene verharrt hatte, von meiner Unfähigkeit und dass ich mich besser um die Dinge kümmern sollte, von denen ich etwas verstünde. Er meinte damit den Haushalt, von etwas anderem verstand ich nichts, sagte er. Wahrscheinlich verstehe ich tatsächlich sonst nichts. Die blonde Frau am Tresen lächelt mich erneut an. Sie weist auf einen jüngeren Mann im schwarzen Anzug, der auf mich zukommt. Ich stehe auf. Er schüttelt mir die Hand. Offenbar ist genug Geld auf Kaspars Konto. Wir fahren zusammen in einem hübsch tapezierten Lift hoch. Herr Anderegg bittet mich in einen kleinen Raum. Ein Tisch steht da mit Computer und mehreren Stühlen. Eine grosse Topfpflanze und ein hohes Fenster. Herr Anderegg fragt, ob er mir Kaffee bringen dürfe. Ich sage: »Ja, gern.« Ich spüre in der Kehle, dass mein Herz klopft. Herr Anderegg bringt mir Kaffee und stellt eine kleine Schale mit Pralinen dazu.

Offenbar ist das ein Spiel, ein Spiel, das man mit verteilten Rollen spielt. Ich bin nun ganz ruhig. Ich kippe etwas Rahm in meinen Kaffee und nehme einen Schluck. Er erkundigt sich nach meinem Befinden. Ich erkundige mich nach seinem Befinden. Dann fragt er, was der Anlass unseres Treffens sei (er hat noch nie das Vergnügen gehabt, mit mir zusammenzutreffen). Ich nehme eine Praline und sage, dass ich Bargeld bräuchte. Es geht um ein Geschenk für meinen Mann, das ich bar bezahlen muss. Er nickt und fragt, wie viel Geld ich denn bräuchte. Ich nenne den Betrag: 50 000 Franken. Er bedauert nach einem Blick auf den Bildschirm, dass auf meinem (Kaspars) Konto im Moment nicht mehr ganz so viel Geld sei; mein Mann sei ein vorzüglicher Vermögensverwalter, er lasse nie viel Geld auf dem Konto stehen. Ich nicke und meine, das sei mir bewusst. Dann nehme ich einen weiteren Schluck Kaffee. Ich frage, wie viel denn auf dem Konto sei. Er spricht von 48 360 Franken. Ich fuchtle mit der rechten Hand und sage, ich hätte eine Idee. Da sei doch noch mein Konto. Mein Konto hat mir Kaspar vor über dreissig Jahren eingerichtet, weil ich argumentiert habe, dass ich es nicht nett fände, wenn er sehen könne, wie viel die Geschenke, die ich für ihn kaufe, gekostet hätten. Er hat mir anfänglich im Monat siebzig Franken auf dieses Konto überwiesen; in den letzten zehn Jahren waren es hundert Franken. Ich suche nach der Plastikkarte für dieses Konto und reiche sie Herrn Anderegg. Und so einigen wir uns darauf, dass ich achtundvierzigtausend Franken vom Konto nehme, auf das ich eine Vollmacht habe, und die restlichen zweitausend Franken von meinem Konto (auf das Kaspar eine Vollmacht hat). Wir lächeln darüber, dass das Kaspar-Konto ja bald wieder gefüllt sein wird. Herr Anderegg verschwindet, dann bringt er die Banknoten, zählt sie vor meinen Augen, legt sie in einen diskret gestalteten Briefumschlag. Ich esse derweil eine weitere Praline, dann unterschreibe ich zwei Quittungen. Ich trinke meinen Kaffee aus, lege den Briefumschlag in meine Handtasche, wir stehen beide auf, fahren mit dem Lift nach unten. Herr Anderegg begleitet mich zum Eingang und ich bedanke mich nochmals.

Ich gehe zum Parkplatz der Bank und setze mich in den Mercedes. Erst jetzt spüre ich mein Herz wieder. Es klopft heftig, und ich schiebe meine Hand unter den Pullover auf die Brust. »Herz, beruhige dich«, sage ich, »das ist ein Spiel«. Mein Herz tut, was ich ihm sage.

Ich fahre aus der Parklücke. Ich fahre die Strasse entlang, will eine andere Bank finden, eine Bank, mit der Kaspar keine Geschäftsbeziehungen hat (gibt es so eine Bank? Ich weiss so wenig). Ich halte vor einer Bankfiliale, die einen anderen Namen hat als die, von der ich komme. Der Frau hinter dem Tresen sage ich, dass ich ein Konto eröffnen will. Auch sie bittet mich, etwas zu warten, es werde gleich eine Mitarbeiterin frei. Ich sitze auf einem Stuhl, und es kommt auch bald eine andere Frau, die sich mit »Frau Wenger« vorstellt und mütterlich wirkt. Sie trägt, wie ich, eine Brille. Ich folge ihr an einen Schreibtisch, der hinter einem Paravent aus Glas steht. Frau Wenger hört sich meinen Wunsch an, dann schiebt sie mir ein Formular hin, das ich ausfüllen soll. Ich lese es durch. Ich erschrecke. Ich muss hier meinen Beruf angeben, meine Adresse. Beruf und Adresse, die ich bislang in Formularen notiert habe, bedeuten meine Identität in den von Kaspar gesetzten Grenzen. Frau Wenger bittet mich um einen Ausweis, ich schiebe ihr meine Identitätskarte hin, sie geht, um die zu kopieren. Was soll ich bei »Beruf« eintragen? Was bei »Adresse«? Aber dann sage ich mir nochmals: »Herz beruhige dich. Das ist ein Spiel.« Ich wiederhole diese zwei Sätze so lange, bis Frau Wenger zurückkehrt. Und dann weiss ich auch, was ich schreiben soll. Bei »Beruf« notiere ich »Home Care-Mitarbeiterin«. Und bei »Adresse« setze ich Tante Sophies Adresse ein (mit einem c/o natürlich). So geht das problemlos. Doch als ich nach einer Kreditkarte frage, weist Frau Wenger mich freundlich darauf hin, dass ich, um die Kreditkarte zu bekommen, ein regelmässiges Einkommen haben müsse. Daran habe ich nicht gedacht. Aber jetzt sagt mir mein Herz: »Sophie, das ist ein Spiel!«, und ich informiere Frau Wenger höflich darüber, dass ich im Moment arbeitslos sei, dass ich aber bereits eine neue Aufgabe im Auge hätte. Ich hätte vor, einen kurzen Urlaub zu machen, würde mich dann aber, sobald ich die neue Stelle angetreten hätte, wieder an sie wenden. Dann übergebe ich ihr den grössten Teil der Summe, die ich in der anderen Bank in Empfang genommen habe. Ich erhalte eine Quittung über den einbezahlten Betrag, meine neue Kontonummer und die Zusicherung, dass mir die Bankkarte zu diesem Konto in wenigen Tagen zugesandt wird. Frau Wenger und ich reichen uns die Hand und schon sitze ich wieder im Mercedes.

Ich nehme den Notizblock mit dem Logo des Hotels aus der Handtasche. Den Punkt »Mein Geld« kann ich nun abhaken. Ich will nicht an Kaspar denken und daran, wie er sich fühlt, wenn er sieht, dass ich sein Konto geplündert habe. Ich denke lieber an Tante Sophie; ich will jetzt zu ihr fahren. Doch wie ich an einem Reisebüro vorbeifahre, »Reisen – aktuell« heisst es, kommt mir die Eingebung, dass ich den nächsten Punkt auch noch heute von der Liste streichen könnte, ich parke den Wagen und trete ein. Es ist recht dunkel in dem kleinen Raum. Ein müde aussehender älterer Mann bedient ein junges Paar, das einen günstigen Badeurlaub buchen will. Dann bin ich dran. Ich sage ihm, dass ich nach Imalo fliegen muss. Er nickt. Er sucht. Er findet. Er fragt nach dem Datum der Rückreise. Ich weiss das Datum nicht, aber das kann und darf ich nicht sagen. »Sophie, das ist ein Spiel«, sagt mein Herz erneut, und ich teile dem Mann mit, dass mein Aufenthalt in Imalo eine Woche dauern wird. Ist das wirklich ein Spiel? Er druckt mir jedenfalls ein Blatt Papier aus, das er als e-Ticket bezeichnet – Kaspar hat immer richtige Flugbillets bekommen –, und ich nehme dieses Blatt an mich und bezahle in bar. Er bemerkt, dass ich dem e-ticket nicht richtig traue, und versichert mir, dass es viel praktischer sei als ein Flugbillet. Das e-ticket wird mir ersetzt, wenn ich es verliere, sagt er, das Flugbillet nicht. Ich bedanke mich für den Hinweis und verlasse den Raum. Im Hinausgehen sehe ich, dass er das Licht anmacht.

9.

Ich parke den Wagen vor dem Haus der Tante. Ich klingle. Es öffnet niemand. Fünfmal klingle ich, vergeblich. Dann schlage ich mit der flachen Hand gegen die alte Holztüre. Der Schlag tut mir weh, er tönt nicht sonderlich laut – und erreicht nichts. Was nun? Um sechs Uhr kommt der Mann, der ein Assessment durchführen will. Und ich ... ich wollte eigentlich hier übernachten. Schliesslich gehe ich zum Mercedes zurück und fahre zum Bahnhof von Schieren. Dort wird es Telefonkabinen geben, wie ich annehme. Ich rufe die Tante an.

Sie nimmt ab. Sie hat geschlafen, sagt sie. Es tut ihr so leid, dass sie mich nicht gehört hat. Ich fahre zurück zu ihrem Haus. Jetzt öffnet sie. Wie gestern äugt sie aus dem Dunkeln über die Kette hinweg. Sie erkennt mich. Sie macht die Türe auf.

Sie entschuldigt sich immer wieder dafür, dass sie mich nicht gehört hat. Ich nehme ihre Hände in meine Hände und versichere ihr, dass das nichts macht, dass die Hauptsache ist, dass ich jetzt hier bin. Ihre Hände sind mager und kalt, ihre Finger etwas verkrümmt. Vielleicht ist ihr kalt, denke ich, weil sie nichts gegessen hat. (Erst jetzt merke ich, dass auch ich heute kaum etwas gegessen habe.) Wir gehen zusammen in die Küche. Ich frage sie, was sie denn heute gegessen habe, und sie sagt, sie habe sich ein Konfitürebrot gemacht.

Ich öffne den Kühlschrank. Er ist leer – bis auf Butter und Konfitüre. Das ist wenig. Es klingelt. Ich führe die Tante ins Wohnzimmer und setze sie auf einen der mit Nägeln beschlagenen Stühle. Mein Blick fällt auf ihre Füsse, die unbeschuht sind. Sicher friert sie auch an den Füssen, denke ich. »Hast du denn keine Pantoffeln?«, frage ich. Und sie sagt mit ernstem Gesicht: »Denk nur, Sophie, meine Pantoffeln sind mir gestohlen worden.«

Ich öffne die Haustüre. Jetzt bin ich die Person, die über die Kette hinweg ins Helle blickt. Ein recht junger Mann steht draussen, der von »Home Care« redet; er spricht den Begriff allerdings mit weniger ausgeprägt englischem Akzent aus als die Dame, von der ich ihn zum ersten Mal gehört habe. Ich nicke und löse die Kette.

»Wer ist da?«, ruft Tante Sophie aus dem Wohnzimmer. Sie ist misstrauisch. Alle drei sind wir nun im Wohnzimmer, und ich nehme ihre Hand und sage ihr langsam, dass wir beide und dieser Herr gemeinsam herausfinden wollen, wie man ihr helfen könne. Die Tante runzelt ihre Stirne und presst die Lippen zusammen. Sie sagt: »Ich brauche keine Hilfe. Ich komme gut zurecht.« Aber der Mann, der da am Tisch sitzt, lässt sich nicht abhalten. Er hat eine mehrseitige Liste vor sich und will die mit uns durchgehen. Er stellt viele Fragen. Braucht die Tante Hilfe beim Einkaufen? Beim Kochen? Beim Putzen? Beim Waschen? Beim Sich-selber-Waschen? Seine Organisation bringt auch fertig gekochte Mahlzeiten ins Haus. Ist die Tante Vegetarierin? Gibt es Gemüse, das sie nicht mag? Mag sie Fisch? Es sind sehr viele Fragen, die beantwortet werden müssen, manchmal gelingt es erst im zweiten Anlauf, eine Antwort zu finden. Nach einer Dreiviertelstunde ist er fertig. Er packt seine Unterlagen ein und erklärt, am Montag werde eine Mitarbeiterin vorbeikommen und auch eine warme Mahlzeit mitbringen. Sie wird um zwei Uhr da sei, weil die Tante am Vormittag schläft, wie sie sagt. Ich begleite ihn zur Türe und sage ihm, dass man die Tante, falls sie auch um zwei Uhr noch schläft, anrufen muss. Er sagt, dass seine Mitarbeiterinnen alle ein Handy haben.

Sie steht hinter mir. Ich habe den Eindruck, dass sie friert und dass sie nicht merkt, dass sie friert.

»Ich gehe einkaufen, Tante Sophie«, sage ich. »Und dann werden wir zusammen essen. Und ich würde heute gerne bei dir übernachten. Oben, in deinem alten Zimmer.«

Sie schaut mich aufmerksam an: »Hast du denn kein Zuhause?«, fragt sie.

Ich weiche einer Antwort auf diese Frage aus, indem ich sage: »Ich habe doch schon früher hier übernachtet, Tante Sophie. Mit« (ich schlucke) »mit Leonie.«

»Mit Leonie?«, fragt sie. Und dann lächelt sie. Sie erinnert sich. »Das ist lange her«, sagt sie, und das Lächeln bleibt auf ihrem Gesicht.

Während ich zur nächsten Tankstelle fahre (seit einigen Jahren kann man in Tankstellen Tag und Nacht einkaufen), denke ich über die Frage der Tante nach, ob ich kein Zuhause hätte. Ich habe in einem bestimmten Haus – in dem ich jeden Winkel kenne – fast dreissig Jahre gelebt und ich bin davon ausgegangen, dass ich immer dort leben würde. Ist das kein Zuhause? Und die Tante lebt in ihrem Haus. Sie hat ein ganzes Leben (mit einer Unterbrechung von vielleicht vier Jahren) darin gewohnt. Es wäre nicht richtig, wenn dieses Haus nicht ihr Zuhause wäre. Das Wissen darum, wie es wirklich ist, erbittert mich. Die Tante lebt im Dunkeln, im Kalten, bei den Fruchtfliegen, hinter der Kette. Ihre Pantoffeln sind ihr gestohlen worden. Und sie kann nichts ändern.

10.

Ich will Tante Sophie wecken, wenn ich den Frühstückstisch gedeckt habe. Ich habe gestern in der Tankstelle auch Honig gekauft und Schinken, Brötchen zum Aufbacken und Milch und Schokoladenpulver und Rahm, falls sie lieber heisse Schokolade hätte, statt des Kaffees. Aber wie der Tisch mit allem gedeckt ist, steht die Tante in der Türe zum Wohnzimmer. Sie ist bereits angezogen. Sie freut sich.

Nachdem wir ausgiebig gefrühstückt haben, verspreche ich ihr, heute Abend ein schönes Essen für sie zu kochen, sie kann wünschen, was sie gerne hätte. Sie wünscht sich Spaghetti und Götterspeise. Ich weiss, was Götterspeise ist, weil Kaspar, als wir jung verheiratet waren, so lange die Götterspeise seiner Mutter gelobt hat, bis ich sie so zubereitet habe, dass er zufrieden war. Ich weiss nur nicht, ob die Tante denselben Geschmack hat wie Kaspars Mutter.

Wir machen den Abwasch zusammen. Die Tante trocknet das Geschirr ab, das ich wasche. Ihre Hände zittern etwas, wenn sie ein Tässchen entgegennimmt.

Dann fahre ich in die Stadt.

Es sind jetzt nur noch zwei Punkte auf dem Notizblock. Ich parkiere den Wagen in der Tiefgarage eines grossen Kaufhauses. Ich kaufe mir einen kleinen Koffer für die Reise nach Imalo. Man kann ihn auf Rollen ziehen, er wird mit einem Reissverschluss geschlossen. Ich kaufe mir Unterwäsche, eine zweite Hose, ein zweites Paar Schuhe, einen leichten Pullover und eine Bluse. (Wie ist das Wetter in Imalo? Ich habe noch keine Zeit gehabt, mich darüber zu informieren. Immerhin hat Martin ja vom »Roten Norden« gesprochen; »Norden«, das tönt nach Kälte.) Ich kaufe mir ein hübsches blaues Necessaire und fülle es mit Fläschchen und Tuben; ich achte darauf, dass keines davon mehr als einen Deziliter Inhalt hat; ich will nur mit Handgepäck reisen.

Ganz oben auf dem Dach des Kaufhauses ist ein Restaurant. Ich setze mich dort hin, trinke einen Espresso; ich bin zufrieden. Ich kann einen weiteren Punkt abhaken. Der letzte Punkt allerdings ist noch unerledigt. Wie bewältige ich ihn? Ich hole mir noch einen weiteren Espresso. Ich erinnere mich, wie mein Herz gestern gesagt hat: »Es ist ein Spiel, Sophie.« Ein Spiel macht Spass. Diese letzte Aufgabe werde ich so erledigen, dass sie mir Spass macht. Bevor ich das Kaufhaus in Richtung Tiefgarage verlasse, kaufe ich mir in der Papeterieabteilung einen wattierten Briefumschlag.

Ich fahre zurück zur Tante. Unterwegs kaufe ich in einem Supermarkt noch Putzmittel, Waschpulver, einen Bügeltisch, ein neues Bügeleisen, die Zutaten fürs Abendessen. Und bei der Tante angekommen (sie öffnet mir gleich nach dem ersten Läuten), beginne ich umgehend damit, in der altertümlichen Waschmaschine, die im Keller ihres Hauses steht, zu waschen. Etwas Wäsche von mir, sehr viel Wäsche der Tante, die überall (vor allem aber im Zimmer, in dem sie jetzt schläft, dem ehemaligen Arbeitszimmer des Grossvaters) herumliegt. Ich bereite die Götterspeise zu, setze die Schüssel, damit sie abkühlt in den Kühlschrank, hänge die Wäsche auf, beginne mit dem Kochen der Spaghettisauce. Die Tante ist erstaunt über meinen Eifer, sie folgt mir durch das Haus und beobachtet mein Tun. Sie scheint mir zufrieden zu sein, ihre Hände sind wärmer als gestern.

Nachdem wir zusammen gegessen und das verschmutzte Geschirr abgewaschen haben, verlasse ich das Haus noch einmal. Ich verspreche der Tante, bald wieder zurück zu sein, und nehme den Hausschlüssel mit, damit sie, wie gewohnt, zu Bett gehen kann. Ich fahre nach Zürich zurück und parke den Mercedes in einem der grossen Parkhäuser im Zentrum. In einem nahen Café bestelle ich mir wieder einen Espresso. Ich lege den wattierten Umschlag neben die kleine Tasse.

Ich schreibe mit grossen gerundeten Blockbuchstaben Kaspars Adresse auf den Umschlag. Wie eigenartig! Ich schreibe diese Wörter und Zahlen auf den Umschlag – und sie bedeuten nicht mehr dasselbe wie früher. Bislang habe ich, wenn ich die Adresse, wenn ich Kaspars Namen geschrieben habe, den Raum von innen gesehen, und Kaspar war Teil dieses Raumes. Jetzt sehe ich das Gebäude von aussen. Er ist irgendwo drinnen, er kann nicht herauskommen, er kommt nicht heraus. Es ist merkwürdig. Ich beklebe den Umschlag mit Briefmarken, die ich mir von der Tante erbeten habe. Und jetzt – das ist das Spiel – schiebe ich folgende Dinge in den Umschlag:
den Autoschlüssel
den Parkschein
die Kreditkarte und die beiden Bankkarten.
(Ich habe noch heute mit dieser Kreditkarte eingekauft. Ich habe den kleinen Koffer und alles andere, was morgen in dem kleinen Koffer liegen wird, mit dieser Kreditkarte bezahlt ...)
Ich verschliesse den Briefumschlag, wenig später lasse ich ihn beim Parkhaus in einen Briefkasten fallen.

Und dann fahre ich mit dem Bus heim zu Tante Sophie.

11.

Nach Imalo gibt es keine direkten Flüge.

Ich sitze in einem grossen Flugzeug am Fenster; die beiden Plätze neben mir sind leer, das Flugzeug rast plötzlich laut los, steigt auf und unter mir sehe ich graue, von Dunst überdeckte Waldstücke, Häuserflecken. Dann verschwindet alles im Nebel und wir befinden uns zwischen Wolken.

Das Flugzeug steigt weiter und ich schliesse die Augen. Ich bin auf dem Weg in den Roten Norden, zu Martin. Und Martin braucht mich. Merkwürdig, kaum habe ich mich von dem Haus, in dem ich fast drei Jahrzehnte gewohnt habe, entfernt, braucht mich jemand. Tante Sophie hat mich gebraucht, und Martin sagt, dass er mich braucht. Das Flugzeug brummt sehr laut. Ich bin müde. Das monotone Geräusch schläfert mich ein. Einmal öffne ich die Augen – es tönt irgendwie anders als bisher – und sehe, dass die uniformierten Damen (ich weiss, dass sie offiziell *Flight Attendants* heissen, denn meine Coiffeuse, die früher in diesem Beruf gearbeitet hat, erzählt immer gerne von diesem Lebensabschnitt, während sie Haare schneidet) ... dass also diese Damen Mittagessen verteilen. Seltsamerweise tragen sie Handschuhe bei der Arbeit. Ich esse brav das verteilte Essen (Kartoffelbrei und Hackfleischbällchen) und schlafe anschliessend ein.

Ich erwache. Unten ist Wald, nichts als Wald, und dazwischen liegen schiefergraue Seen. Das Flugzeug ist im Sinkflug. Nach der Landung ziehen wir im Gänsemarsch an den *Flight Attendants* vorbei, die uns »Auf Wiedersehen« sagen. Und dann bin ich im Umsteigeflughafen. Ich stehe kurz in einer Schlange vor einem Schalter, an dem »*All Passports*« angeschrieben steht, und zeige meine Identitätskarte einem uniformierten Herrn, der bereitwillig nickt. Es ist alles so einfach. Warum habe ich Kaspar geglaubt, der immer wieder gesagt hat, Reisen zu organisieren und reisen überhaupt, das sei zeitaufwendig und schwierig?

An einer Bar trinke ich einen Espresso. Unter einer »Bar« habe ich mir zwar etwas anderes vorgestellt. Wörter verändern anscheinend ihre Bedeutung. Ich sitze auf einem Plastikstuhl an einem Plastiktisch und nippe an einem sussen, rasch kalt gewordenen Kaffee (der hier in einem Mini-Glasbecher serviert wird). Ich denke darüber nach, dass Wörter ihre Bedeutung verändern, und ich sehe, dass das wirklich so ist. »Reise« hatte bislang die Bedeutung von »mühevoll«, das Wort erhält für mich eine neue Bedeutung: »einfach«, »leicht«. Ich stelle das Gläschen auf das Tablett, auf das man gebrauchtes Geschirr zu stellen hat, und gehe weiter. Die Reise ist leicht geworden, aber ich selber bin nicht leicht geworden, denke ich und lächle über mein Wortspiel, wobei ich Schritt für Schritt vorwärtsgehe und mein kleiner Koffer an meiner Hand hinter mir herrollt. Aber wenn ich leicht geworden wäre, hätte ich ja nicht meine Bedeutung geändert. Was für eigenartige Überlegungen. Oder hätte ich, wenn ich leicht wäre, eine neue Bedeutung?

Ich finde den Ausgang 31, von dem aus das Flugzeug nach Imalo starten wird, setze mich erneut in einen Plastikstuhl und nehme mir vor, mich nicht von da wegzubewegen, bis ich zum Flugzeug gehen kann (und das wird noch lange dauern). Warum verändere ich meine Bedeutung nicht, wenn ich leicht bin? Oder verändere ich sie doch? Ich will an Martin denken, der mich in Imalo erwartet.

In dreieinhalb Stunden – ich schaue auf die grosse Uhr an der Wand neben mir – werde ich Martin sehen. Ob er sich verändert hat? Ich spüre, wie mein Herz klopft, wenn ich an ihn denke. Ich möchte ihn mir vorstellen, aber ich sehe nur ein Bild, das ihn als kleinen Jungen zeigt, mit kurzen Hosen und Kniestrümpfen, er lehnt sich gegen eine Mauer und lächelt mit geschlossenem Mund. Ich habe das Bild von meinem Vater erbeten, bei einem Besuch. Es hat mich damals ergriffen; ich weiss nicht, warum. Martin steht da, an eine weisse Wand gelehnt und lächelt, ohne die Lippen zu öffnen. Ich sehe nur dieses Kinderbild vor mir, aber ich weiss, er ist fast schon ein alter Mann, er ist ja nur drei Jahre jünger als ich.

Ich stelle mir das Bild vor, das schwarzweisse Bild mit dem Kind, das den Fotografen mit dunklen Augen anschaut, ein Haarbüschel fällt ihm in die Stirne und es probiert ein Lächeln. Ich bin froh. Etwas Besseres hätte mir nie passieren können. Ich war sicher, er ist gestorben – und es stimmt nicht. Der Plastiksessel ist unbequem. Ich versuche, mein Kreuz mit beiden Händen zu stützen, drücke sie in die weiche Masse, links und rechts der Wirbelsäule, aber es hilft nicht viel. Ich möchte mir vorstellen, wie Martin jetzt aussehen könnte, doch es steigt kein Bild in mir auf, das ihn als Erwachsenen zeigt. Ich mustere die Menschen, die neben mir und mir gegenüber sitzen. Sie alle wollen nach Imalo fliegen, aber keiner und keine von ihnen hat einen Bruder, der gestorben ist und doch lebt!

Dann wird mein Flug aufgerufen. Obschon ich rasch aufstehe, bildet sich so schnell eine Schlange, dass ich hinten anstehen muss und keinen Fensterplatz mehr bekomme. Denn im Flugzeug nach Imalo liest man seinen Platz selber aus, es gibt keine Platznummer auf dem Flugticket. Neben mir sitzen zwei Männer in karierten Flanellhemden, sie haben stets die Arme über der Brust verschränkt. Nur einmal bestellt der eine bei der jungen

Frau mit den Handschuhen zwei kleine Weinflaschen, die er dann nacheinander austrinkt, natürlich nicht direkt, sondern indem er den Wein erst in einen Plastikbecher, den er auch bekommen hat, giesst. Der andere, der neben mir, löst die vor der Brust gekreuzten Arme nie. Ich schaue ab und zu ein bisschen nach links zu den beiden Männern, die in ihren Holzfällerhemden einander seltsam ähnlich sind, und da springt mir jäh der Gedanke in den Kopf: Was, wenn Martin gar nicht in Imalo auf mich wartet? Ich balle meine rechte Hand zu einer Faust. Das Flugzeug dröhnt, die Sonne, die durch die kleinen Fenster von links hereinflutet, macht es ganz hell. Ich schaue auf meine Faust und rekapituliere:

Ich bin von dem Haus, in dem ich fast dreissig Jahre lang existiert habe, weggegangen, und jetzt bin ich auf dem Weg nach Imalo, ich werde in Kürze da sein – vor drei Tagen habe ich überhaupt noch nicht gewusst, dass es einen Ort namens Imalo gibt. Martin wartet dort auf mich. Martin lebt. Er wartet dort. Ich drücke mit den vier Fingern den Daumen. Er lebt und er wartet.

Und dann setzt das Flugzeug holpernd auf der schwarzen Piste auf. Und dann bin ich draussen auf der Piste, der dunkelgraue Himmel ist aufgerissen und die Sonne beleuchtet den Platz. Und dann bin ich in dem kleinen Raum mit dem Förderband, aber ich muss da ja nicht warten, ich habe ja kein Gepäck, das erst aus dem Bauch des Flugzeugs geholt werden muss, ich gehe am Förderband vorbei, ich ziehe den kleinen Koffer hinter mir her, so schnell als möglich auf den Ausgang zu. Die Türe gleitet auf, eine Glastüre, ich mache zwei Schritte vorwärts, ich blinzle – und da steht Martin. Er steht wirklich da. Ich lasse den Griff, den ich halte, los und umarme ihn. Ich drücke meinen Kopf gegen seine Schulter, gegen eine schwarze Regenjacke. Ich spüre ihn. Er ist da. »Martin?«, sage ich und schaue zu ihm hoch.

»Ja?«, fragt er.

Ich kann doch nicht sagen: »Du bist doch tot!« oder etwas Ähnliches.

Er ist da und er ist Martin. Er deutet auf ein silbergraues Auto, einen Kleinwagen, der auf dem Flughafenparkplatz steht. Wir gehen zu dem Auto. Die ganze Zeit klopft mir heftig mein Herz. Martin legt meinen Koffer auf den Rücksitz, öffnet mir die Beifahrertüre, ich steige ein, er steigt auf seiner Seite ein. Ich sage noch zweimal: »Martin!«. Er blickt mich mit seinen dunkelbraunen Augen an, ich erinnere mich an das Kinderbild, er lächelt wie damals mit geschlossenen Lippen. Er hat einen ganz kurzen Stoppelbart auf den Wangen. Ich berühre seine Hand auf dem Schalthebel, sie ist warm.

»Wir fahren zum Hotel«, sagt er »du hast ja doch eine lange Reise hinter dir.«

Wie ist das alles nur möglich, denke ich, aber ich bin so froh, dass ich die Strasse vor uns gar nicht richtig wahrnehme, sie verschwimmt vor den Augen, und ich suche in der Handtasche auf meinem Schoss nach einem Papiertaschentuch, und ich wische mir die Augen und sehe nach links und erkenne, Martin ist immer noch da.

Als wir auf dem Hotelparkplatz ankommen, ist der Himmel azurblau. Und als ich in dem Zimmer, das Martin gemietet hat, zum Fenster hinausschaue, ist vor dem Fenster ein Fluss mit dünnen Birken am Ufer, und auch die sonst weissen Stämme der Bäume sind blau. Ich drehe mich um und schaue Martin an, er hebt sich durch das Licht, das zum Fenster hereinfällt, etwas aus dem dunklen Zimmer heraus. »Und jetzt?«, frage ich.

»Jetzt gehen wir essen«, sagt der helle Fleck – sein Gesicht.

Wir sitzen beim Essen. Wir sitzen am Fenster des Speisesaals, es ist Nacht. Jemand hat eine Kerze auf dem Tisch angezündet, ich esse irgendetwas, und schaue beständig ins Gesicht meines kleinen Bruders. Ich hätte ihn gern gefragt, wie das ist, am Leben zu sein, obwohl doch seine Todesanzeige erschienen ist, aber ich sage nichts. Er sagt wenig, er schaut mich an und ist offenbar zufrieden, dass ich da bin. Über uns sind ausgestopfte Vögel mit ausgestreckten Flügeln aufgehängt; es sind Möwen; da sie an verschiedenen Drähten hängen, bewegen sie sich immer. Martin spricht eigentlich nur über das Essen, und er fragt, wie meine Reise war. Er hat roten Wein bestellt, und wir sitzen uns gegenüber, die Teller sind jetzt weggeräumt; die Weingläser stehen noch da und die halbleere Flasche. Da bringe ich schliesslich den Mut auf und frage ihn: »Warum ... warum habe ich herkommen müssen? Warum hast du mich herbestellt?«

Er blickt mich kurz an, das Licht der dicken Kerze, die auf unserem Tisch steht, erhellt die eine Seite seines Gesichtes. Dann schaut er wieder vor sich hin. »Ich muss hier etwas erledigen. Und du kannst mir dabei helfen. Du hast mir doch immer geholfen.«

So ungefähr – abgesehen vom letzten Satz – hat er das schon am Telefon gesagt. Die Möwen über uns mit ihren weit ausgespannten Flügeln treiben dahin. Irgendwo hinten im Raum, dort, wo das Buffet ist, gibt es Licht, so werden sie nicht nur durch unsere eine Kerze sichtbar gemacht.

»Habe ich dir immer geholfen?«, frage ich.

»Ja«, sagt er. »Das ist das Bild, das ich von dir habe. Sophie hilft. Sophie kann immer helfen.« Dabei sieht er mich kurz an. Viele tausend Kilometer entfernt ist mein Ehemann, der nie meine Hilfe wollte, der nichts von mir hält, und dort ist auch meine Tochter, der ich nicht habe helfen können, die, wie sie beiläufig erwähnt hat, bei einer Psychologin Hilfe sucht. Aber da, an diesem Tisch, ist Martin, und er sagt, dass ich ihm helfen kann. Sein Gesicht wirkt bedrückt, aber vielleicht liegt das an der Beleuchtung durch die Kerze.

Ich bin dankbar, dass er da ist. Wenn ich ihn jetzt weiter frage, kriege ich gewiss keine vernünftige Auskunft. Ich trinke den warm gewordenen, etwas bitteren Wein, den er nachgefüllt hat. Ich setze das Glas hin, und Martin schenkt nach. Ich fange plötzlich an zu reden, und ich erzähle vom Delfin, den er mir geschenkt hat, das heisst, ich habe ihn ja selber fotografiert, aber ohne Martins Geschenk wäre der Delfin vergessen worden. So hat er neben dem Stich aus dem siebzehnten Jahrhundert gehangen, für immer, er war da, im Wohnzimmer. Er ist blau im blauen Meer, er springt hoch, er hat mich einst, auf jener Überfahrt, begleitet, ich habe mich über die Reling gelehnt und ihm zugesehen. Ohne Martin, ohne sein Geschenk ... ich suche die richtigen Worte. Natürlich habe ich nicht Tag für Tag, als ich einunddreissig war und zweiunddreissig und einundvierzig und zweiundvierzig und dreiundvierzig, natürlich habe ich nicht jeden Tag, bestimmt nicht einmal jedes Mal, wenn ich den Rahmen abgestaubt habe, daran gedacht, dass der Delfin Freude bedeutet und Liebe und Vertrauen, es ist schwierig, diese Wörter auszusprechen, und ich murkse so daran herum, dass ich schliesslich sage, dass es schwer sei, solche Wörter zu gebrauchen. Martin schaut kurz auf und blickt dann wieder auf sein Glas. Ich muss also weiterreden. Ich nehme einen Schluck Wein und sage dann: »Das Bild ist heruntergefallen und ich habe immer erwartet, dass Kaspar es wieder befestigt, und Kaspar hat wohl gedacht, dass ich es tue, aber er weiss ja, wie unbegabt ich im Handwerklichen bin, oder vielleicht hat Kaspar sich auch nichts gedacht dabei, aber das glaube ich eigentlich nicht, weil er doch so für Ordnung ist. Ich habe es auf das Sofa gestellt, da sieht man ja, dass etwas nicht stimmt, vielleicht wäre, wenn wir Besuch erwartet hätten, etwas passiert, weil ein Bild doch an der Wand hängen muss und nicht auf das Sofa gestellt werden soll.« Ich mache eine Pause. »Und dann hat Mimi … aber den Rest weisst du ja.«

Jetzt sieht er mich lange an. »Nein, warum weiss ich den Rest?«

»Ich bin weggegangen.«

»Du bist weggegangen? Von Kaspar?«

»Weisst du das nicht?«

Er bewegt den Kopf hin und her. Er ist erstaunt. »Woher denn?« Er schaut mich interessiert an, und ich sehe die Reflexe des Kerzenlichts in seinen Augen.

»Ich bin weggegangen«, sage ich nochmals.

Er stösst einen kleinen Laut aus und legt seine Hand quer über den Tisch auf meine rechte Hand, die neben dem Teller liegt. Ich schaue in seine Augen, seine Lippen haben sich gelöst, ich spüre seine Hand auf meiner Hand. Jetzt traue ich mich. »Martin«, sage ich ins Halbdunkel, »warum hast du gesagt, dass Tante Sophie gestorben sei, sie lebt doch!«

Er zieht seine Hand zurück und blickt vor sich auf den Tisch. Dann atmet er tief aus und sieht mir wieder ins Gesicht. »Es tut mir leid« (er macht eine Pause), »ich habe gelogen. Aber ich habe gedacht … eine Beerdigung in der Familie … da lässt dich Kaspar gehen. Stell dir vor, du hättest ihm gesagt, du müsstest nach Imalo fliegen, um mir zu helfen. Stell dir vor, wie er darauf reagiert hätte!«

Jetzt lache ich. Er lächelt erleichtert. Die Vorstellung ist wirklich abstrus. »Ich denke, er hätte dich nicht gehen lassen«, sagt er kläglich. »Bestimmt nicht!«, lache ich. Ich lache immer weiter. Zu denken, wie Kaspar reagiert hätte, wenn ich auf ihn zugegangen wäre und gesagt hätte, ich müsse nach Imalo fliegen, ist belustigend, aber je länger ich an Kaspar denke, desto mehr macht mir das Angst, und ich schüttle schliesslich den Kopf, ich will nicht mehr an Kaspar denken.

»Jetzt bin ich da«, sage ich, und strecke meinen rechten Arm aus, um meine Hand wieder auf seine Hand, die er zurückgezogen hat, zu legen. »Und du versprichst, dass du mich nie mehr anlügst. Ich verspreche, dich nie anzulügen.«

Er reicht mir auch seine zweite, die rechte, Hand – es ist wie damals, als wir Kinder gewesen sind; wir haben uns seinerzeit feierlich ein Ehrenwort gegeben, wir haben uns zeremoniell die Hände geschüttelt –, und wie damals geben wir uns die Hände und strahlen uns an.

Wir strahlen uns an, und plötzlich merke ich, wie erschöpft ich bin. »Martin, ich bin müde«, sage ich, »komm, wir gehen nach oben«. Und während wir gleichzeitig aufstehen, fällt mein Blick nochmals auf die Möwen, die dahinzuziehen scheinen und doch festgemacht sind.

12.

Imalo hat nicht viele Einwohner. Aber es hat zwei Ampeln. In drei Minuten sind wir auf einer Strasse, die vermutlich die zentrale Achse des Ortes bildet, durch Imalo gefahren. Ganz normale, farblose, dreistöckige Häuser stehen links und rechts dieser Strasse. Die Strasse wird zu einer Brücke, die über einen breiten Fluss führt, der rastlos und grau nach rechts fliesst (ich überlege: Rechts muss hier Osten sein, das ist wie auf der Landkarte, denke ich). Auf der anderen Seite der Brücke stehen keine Häuser mehr.

Ich sitze neben Martin im Auto.

Wir sind heute Morgen aufgestanden, haben gefrühstückt, und nach dem Frühstück hat mir Martin den Autoschlüssel gegeben; ich habe meinen kleinen Koffer und seine Sporttasche ins Auto gepackt, und er hat die Übernachtung bezahlt. (Beim Öffnen des Kofferraums habe ich gesehen, dass da ein grosser Bananenkarton und eine Kaufhaus-Plastiktüte liegen.) Und dann sind wir losgefahren.

Eine ganz normale Asphaltstrasse. Sie führt durch einen lichten Wald. Und dieser Wald ist rot. Ich staune. Und irgendwann sage ich: »Martin, halt doch an!« Er nickt stumm. Später wird rechts am Strassenrand mit einem Piktogramm eine Raststelle angezeigt. Er steuert den Wagen die Ausfahrt hinaus und bringt ihn zum Stehen. Ich öffne die Wagentüre und zwänge mich aus dem kleinen Auto. Ich stehe da und staune.

Es ist ein Birkenwald. Zumindest scheinen mir die dünnen, senkrechten, weissen Stämme so auszusehen wie Birkenstämme bei uns. Aber die Blätter – die Blätter dieser Bäume sind rot. Durch schwarze Ästchen miteinander verbunden – ein rotes Blättermeer, das sich kaum bewegt. Die hellen Birkenstämme heben sich vom roten Laub ab, das den Wald füllt. Und sie stehen da in meterhohen dunkelroten Stauden (sind das Stauden? Ich kenne mich so wenig aus), die den Waldboden bedecken. Ich gehe einen Schritt vom asphaltierten Parkplatz weg, gehe dort, wo der Asphalt abbricht und der Boden erdig ist, in den Wald. Da sind diese Stauden: eigentlich sind es lange Zweige, die mit lanzettförmigen purpurroten Blättern besetzt sind. Das Rot der Birken ist ein anderes: Es wendet sich sanft dem Farbton des Feuers zu.

Ich schaue. Alles ist rot. Sogar die Birkenstämme, soweit sie zu sehen sind und sich kein Schatten auf sie wirft, reflektieren das Licht rötlich. Es ist unfasslich. Martin hat am Telefon vom Roten Norden gesprochen. »Imalo im Roten Norden«, hat er gesagt. Ich habe mir nichts dabei gedacht. Ich bin ins Reisebüro gegangen, habe einen Flug nach Imalo bestellt und habe diesen Flug bezahlt.

Das also ist der Rote Norden, von dessen Existenz ich bisher nichts gewusst habe. Aber es gibt ihn sehr wohl. Er ist heftig. Ich schliesse die Augen und denke: »Die roten Bäume und Sträucher sind einfach da. Im Norden. Sie existieren einfach.« Dann öffne ich die Augen wieder. Der asphaltierte Fahrweg, auf dem Martin das Auto zum Stehen gebracht hat, macht eine Schlaufe. Sie führt von der Autostrasse wieder auf die Autostrasse. Zwischen der Strasse und dem Weg wachsen dicht gedrängt nur die purpurroten Stauden. Und auf der andern Seite des Fahrwegs steht der rote Wald. Ich gehe auf dem Weg ein paar Schritte vorwärts und dann wieder ein paar Schritte zurück. Das ist also der Rote Norden …

Ich gehe zum Wagen zurück und setze mich auf den Beifahrersitz. Martin sagt nichts. Es ist gut so. Aber vielleicht sollte ich etwas sagen. Ich verwerfe einige Formulierungen, und schliesslich sage ich: »Ich habe nicht gewusst, dass es das gibt!« Er nickt. Dann wirft er den Motor an. Wir fahren weiter. Wir fahren zur Strasse zurück. Sie führt durch der roten Wald.

Wir fahren.

Einmal überquert ein Rentier, braun, mit staksigen weissen Beinen und einem pelzigen Geweih, die Strasse.

Nach etwa zwei Stunden sagt Martin: »Da vorne gibt es einen Aussichtspunkt. Möchtest du es einmal von oben sehen?« »Gerne«, sage ich. Martin biegt rechts ab, folgt einem Schild, das in einer unverständlichen Sprache beschrieben ist. Der Weg führt steil nach oben zu einem hellen Parkplatz, auf dem ein einziges Auto parkiert ist. Wir stellen unser Auto ab und gehen einen schmalen Weg hoch; auf der rechten Seite steht ein hölzerner Verkaufsstand, in dem sich ein alter Mann befindet, der Eintrittskarten verkauft. Martin kauft zwei Karten und wir gehen weiter. Auf den Karten steht MUSEUM. Der Weg führt durch den roten Wald – hier ist der Boden mit grauen Flechten und kleinen roten Blättern bewachsen, die mich an Beeren erinnern, die ich mit Violet vor zwanzig Jahren gesammelt habe, Preiselbeeren, Heidelbeeren. Ganz eng am Boden wachsen diese Blättchen und sind tiefrot. Links ist ein altes, schwarzes Boot zu sehen, wahrscheinlich ist es Teil des Museums. Etwas später taucht rechterhand eine niedrige Hütte auf. Ich schaue durch die offene Türe hinein – in einer Ecke liegen Felle – das soll wohl ein Bett sein. Der Weg ist steil, er strengt mich an. Ich atme schwer und bin erleichtert, dass wir bald oben sind, auf dem baumlosen Buckel des Hügels, wo ein zweistöckiges Haus steht. Im Haus wartet eine weisshaarige Frau hinter einem Tresen, aber Martin geht an ihr vorbei, die Wendeltreppe hoch, die mitten im Raum in den ersten Stock führt. Dort gibt es Panoramafenster und eine Türe zur Veranda. Er öffnet die Verandatüre, und wir treten hinaus.

Rotblättrige Baumwipfel verdecken einen Teil der Aussicht. Aber über die Bäume hinweg und durch diese hindurch sehe ich Seen – oder vielleicht ist es auch nur ein einziger riesiger See, in dessen dunkelblauem Wasser Inseln schwimmen, dichtbewaldete Inseln, länglich, rot. Und dahinter sehe ich wieder eine rote Landzunge und dann wieder einen See, dessen Blau schon dunstiger ist. Und wieder eine Landzunge, das Rot ist nun fahl. Ganz hinten geht der See in den Himmel über, er ist am Horizont möglicherweise etwas heller als der Himmel, die Farbabstufung ist kaum bemerkbar.

Der Abhang hinunter zum See ist voller roter Birken, deren weisse Stämme und schwarze Äste ich – allerdings nur direkt vor mir – gut erkennen kann. Ich stehe auf der hölzernen Aussichtsterrasse des Museums. Ich gehe langsam das Geländer entlang und sehe: neue Inseln, andere dunkelblaue Buchten, vom roten Birkenwald eingefasst …

Ich schliesse kurz die Augen. All diese Jahre bin ich in meinem Massivhaus-Bungalow gesessen (Kaspars Bungalow, natürlich), und nun ist da der Rote Norden, und all die Jahre hat es ihn gegeben. Ich habe nichts von ihm gewusst. Und, offen gesagt, wenn ich gewusst hätte, dass es den Roten Norden gibt, wenn ich in einer Zeitung über ihn gelesen hätte, hätte es mich nicht berührt. All die Jahre bin ich in meinem Bungalow gesessen, habe erst ein Kind grossgezogen und geputzt und gekocht, und später habe ich nur noch geputzt und gekocht. Ich wusste, dass das mein Leben war, und auch ein Zeitungsartikel über den Roten Norden hätte nichts daran verändert.

Ich gehe das Geländer entlang, gehe hin und zurück und schaue. Später bemerke ich, dass Martin nicht mehr neben mir steht, aber ich weiss, er wartet auf mich. Ich blicke auf den tiefblauen See und auf die roten Inseln darin. Die rötliche Spiegelung im blauen Wasser kann man bei den näheren Inseln erkennen.

Schliesslich gehe ich ins Haus zurück. Martin sitzt im unteren Stock auf einem Sessel. Er hat sich bei der Frau mit den weissen Haaren Tee bestellt, der nun vor ihm steht. Er schaut kurz auf und fragt mich, was ich denn gerne hätte, man kann Tee haben oder Kaffee oder Stücke von Kuchen, die auf zwei Tellern angeordnet sind, und selbstgebacken aussehen. Ich entscheide mich für Tee, die Frau kocht Wasser in einem Wasserkocher, ich kann zwischen zwei Sorten Beuteltee wählen. Martin bezahlt, und ich setze mich neben ihn. Es ist gut, dass ich weiss, dass er von mir keinen Kommentar zu dem, was ich gesehen habe, erwartet. Der Tee ist heiss, aber ich muss ihn ja nicht innerhalb von drei Minuten trinken.

Später gehen wir den Weg hinunter, an der Hütte mit den Fellen vorbei, am schwarzen Boot vorbei. Der Stand, in dem man Billette kaufen kann, ist leer. Vielleicht merkt der alte Mann, ob Interessenten für sein Museum da sind.

Danach fahren wir steil hinab, zurück auf die Landstrasse. Dort, wo die Zufahrt vom Museum in die Autostrasse mündet, stehen zwei helle Rentiere auf der Gegenfahrbahn. Sie schauen uns ruhig und interessiert nach. Ich drehe den Kopf, um sie länger sehen zu können, aber Martin versperrt mir die Sicht. Ich werde ihn fragen, ob ich fahren kann, denke ich, aber dann nimmt das Schauen mich wieder in Anspruch.

Einmal fragt er mich, ob ich Hunger habe. Ich schrecke auf. Dann nicke ich. Er fährt auf einen Rastplatz hinter einer dünnen Wand roter Bäume. Plötzlich sind wir am Seeufer. Ich steige aus dem Auto; der See reflektiert silbern die Sonne. Der Himmel ist sehr blau hier – und doch ist es nicht warm. Martin hat die Bananenkiste vom Kofferraum auf den Holztisch, der am Ufer zwischen zwei Bäumen steht, gehievt. Ich sehe hinein: Sie ist tatsächlich voll mit Bananenstauden. Ich muss lächeln, ich erinnere mich. Als Junge hat Martin am liebsten Bananen gehabt, aber er hat die Banane immer erst dann erhalten, wenn er vorher zwei Äpfel gegessen hat. Er schaut mich mit seinen grossen braunen Augen an, und so sage ich: »Es gibt hier keine Äpfel! Es gibt hier nirgends Äpfel!« Er nickt. Dann weist er auf die Kaufhaus-Plastiktüte. Ich ziehe sie zu mir heran. Viele kleine Zellophanbeutel mit Mandeln sind drin. Ich weiss. Er war wohl zehn, als er gesagt hat: »Wenn wir gross sind, Sophie, essen wir einmal zusammen so viele Bananen und Mandeln, wie wir wollen!« Ich habe als Kind so gerne Mandeln gehabt, aber aus irgendwelchen Gründen durfte ich nie mehr als fünf Mandeln pro Tag essen. Nun liegen hier diese vielen Mandelbeutel vor uns. Martin schaut mich beständig abwartend an.

Ich fühle Tränen hochsteigen. Die Bananen und die Mandeln. Man kann, was man nicht erreicht hat, nachholen. Ich öffne einen der Zellophanbeutel, schütte Mandeln in die offene linke Hand und setze mich neben Martin an den Tisch. Er bricht eine Banane von einer der Stauden und schält ihre Spitze. Nichts, was verloren ist, ist in Wahrheit verloren ... Ich lächle und sage: »Danke, Martin.«

Wir sitzen da in unseren warmen Jacken, wir essen, und der See funkelt in der weissen Sonne.

Später fahren wir weiter. Jetzt fahre ich, Martin sitzt neben mir. All die Jahre bin ich nie gefahren, wenn Kaspar dabei war. Doch, einmal, ein einziges Mal, als er sich beim Skifahren verletzt hat. Ich fahre auf der hellen Strasse, zwischen den roten Bäumen, und ich weiss, der Himmel über mir ist blau. Manchmal führt die Strasse den See entlang, der jetzt nur blau ist, himmelblau, würde ich sagen, und ringsherum umrahmt von roten Birken. Der Rote Norden ist einschüchternd, weil er so anders ist, anders als alles, was ich je erlebt habe. Jetzt, wo ich hier bin, weiss ich … ja, was weiss ich überhaupt? Ich weiss, dass hier alle Bäume rot sind und der Himmel blau. Das reicht. Das muss reichen.

Die Strasse legt sich wie ein Band über die Landschaft, sie zeichnet jeden Buckel, jeden Hügel nach. Ein Schild mit einem vokalreichen Wort und der Anfügung »10 km« steht rechts. Martin sagt: »Da ist unser Hotel.« Ich fahre und fahre, und dann ist da das Hotel. Es ist weiss gestrichen und zweistöckig. Ich bringe unser Auto zum Stehen und zwänge mich hinaus. Gegenüber vom Hotel ist eine grosse Tankstelle mit einem Supermarkt. Martin hat seine Tasche und meinen Koffer aus dem Kofferraum geholt, ich schliesse das Auto ab.

Die Türe des Hotels ist offen, und so sehe ich einen dunklen grossen Raum, lange Bänke vor langen Tischen und Spielautomaten an den Wänden. Viele Leute sind hier; die meisten sind Männer. Sie sitzen auf den Bänken, sie trinken, einige von ihnen spielen an den Automaten, schauen angestrengt vor sich hin. Links steht ein Tresen, dahinter eine junge Frau mit schwarzen Haaren und kleinen goldenen Ohrringen. Martin redet englisch mit ihr und bekommt einen Zimmerschlüssel. Er öffnet eine weitere Türe, und dann sind wir in einem hellen Raum. Tische stehen da, die von je vier Stühlen umgeben sind. Der Raum erhält Licht von der mir gegenüberliegenden Fensterfront. Ich gehe aufs Fenster zu und sehe, dass das Hotel direkt am See liegt. »Schön!«

Auch das Zimmer, in dem wir übernachten werden, hat ein grosses Fenster zum See. Wir legen beide unsere Jacken ab und setzen uns in die zwei Polstersessel am Fenster. Martin sagt: »Das wäre die erste Etappe!« Sein Stoppelbart ist – das fällt mir erst jetzt auf – unten am Kinn weiss und rings um den Mund noch braun. Ich warte, dass er noch etwas sagt, aber er sagt nichts mehr. So gehe ich zum Wasserkocher, der unter dem Spiegel steht, fülle ihn im Bad mit Wasser und koche Tee für uns beide.

Beim Abendessen sitzen wir an der grossen Fensterfront und schauen in eine plastifizierte Speisekarte, die ein angespannt aussehender, schwarzhaariger Mann uns reicht. Die angebotenen Fleischgerichte sind vom Rentier. Warum isst man Rentiere? Aber zuhause isst man Kühe, da ist wohl kein Unterschied. Martin bestellt viel zu essen, und ich schliesse mich ihm an. Der See vor dem Fenster ist glänzend rosarot; seine Wellen schimmern pastellblau. Überall ist der See von diesem strahlenden Rosa, er reflektiert die abendliche Farbe des Himmels, an dem nur wenige graulila Wolken stehen. Schmale Wellenstreifen gleiten in unsere Richtung. Am andern Ufer, weit weg, wo sich die Bäume, die ihn begrenzen, spiegeln, ist der See nicht rosarot, dort hat er einen dunklen, rostigen Saum.

Ich führe den Suppenlöffel und nachher die Gabel zum Mund und schaue hinaus. Ein Boot mit einem

Schiffer gleitet jetzt auf dem See; Boot und Mann sind schwarze Silhouetten. Martin fragt etwas, ich fahre zusammen. Aber er hat nur gefragt, ob ich noch etwas essen wolle. Mich dünkt, dass ich viel gegessen habe, und ich wehre ab.

13.

Nachher liegen wir im Dunkeln in zwei grossen Betten, die nebeneinander stehen. Die Lamellen der Jalousien vor dem Fenster sind schräg gestellt, so dringt blasses Licht ins Zimmer. Ich schliesse die Augen und sehe den schwarzen Mann auf dem schwarzen Boot in dem glänzenden rosa Wasser. Dann erkenne ich eine andere Gestalt in einem glänzenden rosafarbenen Ballettkleid. Ich wende den Kopf. Das Kopfkissen ist unbequem. »Martin«, sage ich, »denkst du auch manchmal an Leonie?«

Ich höre, wie er sich räuspert. Dann räuspert er sich ein zweites Mal. Und ein drittes Mal. Ich habe die Augen immer noch geschlossen. Schliesslich sagt er langsam: »Nein ...«, eine Pause. »Ich«, eine Pause, »kann mich nicht an sie erinnern. Ich erinnere mich an eure Reaktion auf ihren Tod. Das weiss ich noch gut.« Es folgt eine längere Pause, ich warte. »Ich habe mir später gesagt, wenn ein grosser Stein in den See geworfen wird, entstehen Wellen – ich habe nur die Wellen wahrgenommen; ich bin zu klein gewesen, um den Stein wahrzunehmen; ich weiss nur, was du, was Mama, was Papa von Leonie erzählt haben.« Ich höre ihn seufzen. »Komm, Sophie, wir haben dieses Gespräch doch auch vor vielen Jahren schon geführt.« Das ist seine Art zu sagen, dass ich das Thema wechseln soll. Aber ich gebe nicht nach.

»Martin, wenn jemand stirbt und nachher denkt niemand mehr an ihn, ist das nicht furchtbar? Sie war doch noch so klein, Martin.« Zum ersten Mal erscheint mir Leonie als ein kleines Mädchen. Ich wende den Kopf erneut. Sie ist nicht mehr die grosse Schwester. Ich sehe sie deutlich vor mir in ihrem Tüllkleid. Sie lächelt nicht, sie sieht traurig drein. »Martin!«

»Ist das nicht bei uns allen so?« fragt er. »Man stirbt, und keiner denkt an einen.«

Was soll ich dazu sagen? Ich kann ja nicht so etwas Vorgeprägtes sagen wie »Die, die einen lieben, werden immer an uns denken.« Ich habe ja nicht deshalb an Leonie gedacht, weil ich sie geliebt habe. Habe ich sie nicht geliebt? Ich höre Martin sagen: »Man lebt, und keiner denkt an einen.«

Das tönt furchtbar. Ich setze mich mühsam im Bett auf. Ich sage: »Das stimmt nicht!«

»Warum nicht?«

Ich habe jetzt die Augen geöffnet und sehe sein Gesicht rechts von mir, sehe es als einen hellen Fleck.

»Ich habe doch immer an dich gedacht, Martin! Und du hast auch an mich gedacht! Du hast mir doch immer zum Geburtstag eine Karte geschickt!«

»Und du hast mir auch eine Karte geschickt.«

Das stimmt. Diese Karten zu schreiben, war eine Qual. Ich sitze am rechteckigen Wohnzimmertisch und weiss nicht, was ich schreiben soll. Als Violet noch klein war, habe ich immer noch ein Bild von ihr in den Umschlag gelegt, auf dessen Rückseite zwei oder drei Sätze standen, die ihre Fortschritte beschrieben: *Violet kann schon vier Schritte gehen. ... Violet kann schon ganz gut lesen. ... Violet hat die Aufnahmeprüfung ins Gymnasium bestanden.* Was soll man schreiben? *Mir geht es gut. Ich hoffe, dass es dir auch gut geht,* habe ich geschrieben, und schon diese Sätze waren mühevoll. Ich schnaufe hörbar und sage: »Du meinst, ich habe nie an dich gedacht?«

»Ach komm!«, sagt Martin.

Ich finde nicht den richtigen Satz, der dieses furchtbare ... *und keiner denkt an einen* aufhebt. Da höre ich ihn sagen: »Es ist auch nicht wichtig, ob jemand an mich denkt.«

»Martin, warum sagst du so etwas?«

Jetzt tönt seine Stimme ruhiger: »Ich glaube das wirklich.«

»Was glaubst du?«

Wieder dieser ruhige Ton: »Ich glaube, ich muss mit mir einverstanden sein. Mehr ist wohl nicht nötig.« Er verbessert sich: »Mehr ist nicht nötig.«

»Und wenn du mit dir einverstanden bist, dann spielt es keine Rolle, ob dich jemand gernhat oder ob dich niemand gernhat?«

Er sagt nichts.

»Martin?«

Er seufzt. »Dann sag doch du, wie du es siehst, Sophie, sag du es doch!«

Was soll ich sagen? Bilder und Sätze gehen mir durch den Kopf: Violet, als ich sie zum letzten Mal gesehen habe, eine hagere junge Frau, Leonie in ihrem Tüllkleid. »Liebe besiegt alles«, »Die Liebe ist für den Menschen absolut notwendig«, »Was ist denn ein Mensch ohne Liebe?« Lauter solche Sätze sind anscheinend in meinem Kopf gespeichert, aber ich spreche sie nicht aus, weil sie offenbar nicht stimmen, das heisst, sie stimmen schon, sie stimmen immer, aber ich merke, sie stimmen nicht für mich, für mich haben sie nie gestimmt, und offenbar stimmen sie auch nicht für Martin, aber wie ist das möglich, dass solche ewig gültigen Sätze für gewisse Menschen nicht stimmen, oder vielleicht stimmen sie auch für viele Menschen nicht, und man tut nur so, als wären sie ewig gültig, um etwas zu verbergen. Ich höre, wie Martin sagt: »Was meinst du?«

»Ich weiss es nicht, Martin«, murmle ich, »mir scheint, ich weiss überhaupt nichts.« Der helle Fleck rechts ist sein Gesicht. Ich nehme wahr, wie er sich bewegt; jetzt setzt er sich in seinem Bett auf. »Ich meine nicht, dass ich recht habe, Sophie«, sagt er behutsam, »das ist einfach die Lösung, die ich für mich gefunden habe. Ich meine nicht, dass es die Lösung für dich ist oder für irgendeinen anderen Menschen.«

Wenn du mit dir einverstanden bist ... denke ich. Mir ist bewusst, dass ich nicht einverstanden mit mir bin. Ich weiss das genau. Aber möglicherweise bin ich heute Abend doch einverstanden mit mir gewesen, als ich auf den rosa glänzenden See geschaut habe. Vielleicht bin ich auch gestern mit mir einverstanden gewesen, als ich nach Imalo geflogen bin. Aber wenn das so gewesen ist, habe ich es nicht gewusst. Ich suche nach einem Wort, einem Satz, den ich sagen könnte und der Sinn machte.

Und dann sehe ich etwas, was ich viele Jahrzehnte lang nicht gesehen habe: ein dunkelgraues Krokodil mit halbgeschlossenen gelben Augen. Es ist riesengross, es bewegt sich nicht.

»Martin«, sage ich. »Als du ein Kind warst, ein kleiner Junge, ist da unter deinem Bett auch ein Krokodil gewesen?« Ich höre einen Laut von ihm, der wie »Ää« tönt. Und nach einer Pause sagt er ruhig: »Es ist kein Krokodil gewesen, Sophie, es ist eine Hexe gewesen. Sie hat unter meinem Bett gekauert. Jede Nacht. Und ich habe mich im Bett nicht bewegt, weil ... sonst wäre sie hervorgekommen.«

Das Krokodil verschwimmt, löst sich langsam auf.

»Martin, warum haben wir es einander nie gesagt? Warum haben wir nie miteinander besprochen, was da unter unseren Betten war?«

Er sagt nichts. Ich sage auch nichts, und dann weiss ich die Antwort. Ich formuliere langsam, weil die Antwort erst im Formulieren entsteht: »Wir haben nicht darüber gesprochen, weil wir gemeint haben, gewusst haben, dass nur wir allein … Ich meine, jeder von uns hat gemeint: Ich als Einziger auf der ganzen Welt habe das Böse, was mir Angst macht, nachts unter dem Bett; alle anderen Menschen schlafen ruhig in ihren Betten.«

»Ja«, sagt Martin, und jetzt lacht er. Er lacht lange und fügt hinzu: »Wenn ich ein besseres Kind wäre, wenn ich das Kind wäre, das ich sein sollte, wäre auch nichts Böses unter meinem Bett.« Und wieder lacht er.

Ich sage nichts, ich erinnere mich kurz an Leonie und an Martins Kinder, die beiden Zwillinge. Aber dann blicke ich auf den Mann neben mir. Er hat kein Gesicht, denn es ist dunkel, und ich habe meine Brille auf den Nachttisch gelegt. Aber ich erkenne, dass er seine Beine unter der Decke aufgestellt hat. Ich strecke meine rechte Hand aus und lege sie auf sein Knie, ich beuge mich etwas nach vorne. Jetzt, da ich ihn berühre, ist mir das Vergangene ganz nah. Ich sehe den kleinen Jungen von damals. Er liegt am Abend in seinem Bett, er hat Angst. Ich bin doch die Ältere gewesen. Ich hätte bemerken müssen, wie er gelitten hat. Ich hätte ihm helfen sollen. Ich spüre sein Knie unter der warmen Decke. Ich sage: »Verzeih mir, Martin, dass ich dir nicht geholfen habe. Aber ich will dir jetzt helfen. Ich will dir helfen, so fest ich kann.« Ich höre meine Stimme. Es ist gut, wenn man solche Sachen aussprechen kann.

Er legt seine Hand auf meine Hand. »Aber du hilfst mir doch.« Er flüstert. »Du bist doch in den Roten Norden gekommen, weil du mir hilfst.«

»Ja.« Aber es scheint mir, als genüge das nicht. Ich hätte damals etwas tun sollen, ich hätte ihn vor der Hexe bewahren sollen, und ich habe nicht einmal gewusst, dass die Hexe existierte.

Meine Hand liegt auf seinem Knie und seine Hand liegt auf ihr. Ich denke über das nach, was er eben gesagt hat. Die Bananen und die Mandeln kommen mir in den Sinn, die wir vor einigen Stunden zusammen gegessen haben. Nichts, was verloren ist, ist in Wahrheit verloren, habe ich heute Mittag gedacht. Wir hätten die Bananen und die Mandeln als Kinder gern gehabt und haben sie nicht bekommen. Und jetzt, heute Mittag, waren sie da. Aber das, was ich jetzt erfahren habe, was mir jetzt klar geworden ist, ist anders: Wenn ich damals gewusst hätte, was ich jetzt weiss, hätte ich ihm damals helfen können. Wird das, was damals schief wurde, weil ich Martin nicht helfen konnte, einfach gerade, indem ich ihm heute helfe? Geht das?

Ich flüstere nun auch: »Du meinst, dass du schaffst, was immer du vorhast? Du meinst, dass wir es schaffen?«

Ich höre ihn flüstern: »Ja, zusammen schaffen wir es.«

»Dann ist es gut«, sage ich halblaut. »Dann bin ich froh. Wollen wir schlafen, Martin?« Ich nehme meine Hand von seinem Knie und lege mich zurück, ich schliesse die Augen, versuche das unbequeme Kissen irgendwie unter meinem Kopf zurechtzulegen.

Ich höre, wie er sich ausstreckt, wie er sagt: »Schlaf gut, Sophie!« Bald atmet er gleichmässig. Ich kann noch nicht einschlafen. Ich habe soviel erlebt, heute. Die einzelnen Stationen des heutigen Tages gehen mir durch den Kopf, und ich muss an Leonie denken, die nie hat erwachsen werden können, und an Martin, der ein Mann geworden ist und ein Leben gelebt hat, und ich weiss, dass ich auch ein Leben gelebt habe. Schliesslich kommt mir der Mann in den Sinn, der von der Überführung aus Steine auf die Autobahn geworfen hat. Und irgendwann schlafe ich ein.

14.

Wir frühstücken an einem der Tische an der grossen Fensterfront des Hotelrestaurants. Ich schaue kaum nach draussen. Ich denke über unser Gespräch gestern Nacht nach – ich denke eigentlich nicht; es steigt in mir hoch wie Luftblasen im Wasser. »Man stirbt und keiner denkt an einen.« – eine Luftblase. »Hat da unter deinem Bett auch ein Krokodil gelegen?« – eine grosse Luftblase. »Nichts, was verloren ist, ist in Wahrheit verloren«; eine Blase, die einen Zwilling hat, der ihr Gegenteil besagt. Ich habe gestern Nacht vor dem Einschlafen gedacht, wenn ich nur zurückkönnte und mich dort, im Damals, richtig verhalten und helfen könnte, dann käme alles in Ordnung, aber solche schiefen Gedanken sind mir nur vor dem Einschlafen möglich, wenn ich anfange, Stimmen zu hören, die nichts mit dem Zimmer, in dem ich liege, zu tun haben, wenn das, was ich erkenne, nicht mehr die Wirklichkeit und noch nicht der Traum ist.

Martin sitzt mir gegenüber und isst, ohne aufzublicken, sauren Hering und Knäckebrot. Er hat einen Rasierapparat benutzt, der zwei Millimeter lange Stoppeln stehen lässt. Ich habe nicht gewusst, dass es so etwas gibt, aber da ich nie einem Mann beim Rasieren zugesehen habe ausser Kaspar, ist das ja nicht verwunderlich.

Dann fahren wir. Martin fährt, ich schaue aus dem Fenster. Es sieht ähnlich aus wie gestern: Birken, die ihre schwarzen, mit roten Blättern besetzten Äste und Zweige leise bewegen. Alles rot. Und wir fahren weiter. Rechts hebt sich das Land, alles ist rot, es sind verschiedene Spielarten einer Farbe, dazwischen erkenne ich die dünnen weissen Stämme der Birken, die weiter weg stehen und die schwarzen Ästchen der nahen Bäume. Es ist kein richtiger Wald, denke ich, in einem Wald, wie ich ihn kenne, kann man spazierengehen. Die Bäume sind wohl drei Meter hoch und manchmal auch etwas höher. Rot stehen sie da, sie strecken ihre schwarzen Äste aus, die buschig beblättert sind. Rechts liegt der Hügelzug, voll mit diesen roten Birken. Manchmal wachsen sie aus dem nackten Fels heraus; dann sind sie spärlicher verteilt. Der Fels ist grau, gefleckt mit den Birken und dem roten Moos, auf dem sie stehen (vielleicht ist es auch gar kein Moos, ich fahre ja nur vorbei, ganz genau kann ich es nicht erkennen). Die Strasse schneidet sich durch die roten Birken hindurch (denn auch links der Strasse stehen die Bäume; nur dass das

Gelände links nicht hügelig ansteigt, sondern flach, eher abschüssig ist).

Nun hält Martin an. Es ist ein Rastplatz, wie es viele gibt; eine Weg-Schlaufe, die von der Strasse weg- und zu dieser zurückführt. Ein hölzerner Tisch steht da mit einer Bank dahinter, und in der Nähe ist ein braunes Holzhäuschen, ein Bio-Klo. Martin öffnet den Kofferraum des Wagens, holt die Bananenkiste, ich greife nach der Tüte mit den Mandeln und schliesse den Kofferraum. Wir sitzen zusammen und essen. Ich schaue auf seine linke Hand, die neben mir auf dem Tisch liegt, und diese Hand kenne ich. Mich dünkt, seine Hand sei weniger verändert als sein Gesicht, sie ist ein bisschen breiter geworden, die Adern auf dem Handrücken treten deutlicher hervor als damals.

Einmal hören wir ein Auto. Es kommt aus der Richtung, in die wir fahren. Der Lärm schwillt an und verebbt wieder. Und jetzt höre ich noch etwas anderes. Weit weg ein Rauschen. Vielleicht ist es aber auch gar nicht weit weg, ich weiss, dass mein Gehör schlechter ist als früher. »Martin«, frage ich, »ist hier in der Nähe ein Fluss?«

Er nickt und weist mit dem Arm über die Strasse auf den zerzausten, roten Birkenwald.

»Kann ich hingehen?« frage ich.

Martin nickt. Ich stehe auf, berühre noch seine Hand, die auf dem Tisch liegt, schiebe mich durch das Kreissegment zwischen Strasse und Rastplatz, das mit niedrigen rotbeblätterten Birkenbüschen bewachsen ist und überquere die leere Autostrasse.

Gegenüber liegen am Strassenrand runde rote Felsbrocken. Sie sind über einen Meter lang und mit kreisförmigen grauen Flechten getupft. Sie liegen in den dunkelroten Preiselbeerstauden, die ich gestern schon gesehen habe. Ich steige über eines dieser Felsstücke und dann nochmals über eines und dann gehe ich auf den Fluss, den ich noch nicht sehen kann, zu. Zwischen spillerigen Birken, deren Ästchen sich eng berühren, dränge ich mich hindurch. Ich muss mich immer wieder bücken oder diese Äste zur Seite schieben. Die Beerenstauden mit den festen, ovalen Blättchen bedecken den Boden, der ganz rot ist. Der Fluss tönt immer lauter.

Dann sehe ich den Fluss. Ich sehe ihn durch die Bäume hindurch, und kurz darauf stehe ich auf einem Felsen, auf dem drei krumme rote Birken wachsen, und schaue nach unten. Der Fels unter meinen Füssen ist dunkel und nass. Ich stehe auf diesem Felsen, zwischen zwei dünnen Bäumen, und schaue auf den stark und laut dahinziehenden Fluss. Die Sonne scheint durch die roten Blätter, sie scheint auf den Felsen, auf mich, auf das blaue Wasser, das reissend und schnell über Felsblöcke, die aus dem Wasser ragen, strömt. Die blauen Wassermassen wölben sich an vielen Stellen über die ganze Breite des Flusses, die Wölbungen zerplatzen und das Wasser spritzt weiss hoch, dann wölbt es sich aufs Neue, und der grosse Druck zerbricht die milchglasfarbene Wasser-Wölbung und das weisse Wasser sprüht als Welle hoch, immer wieder, Minute für Minute, Tag für Tag, Jahr für Jahr.

Ich blicke lange auf den Fluss. Mir wird klar, dass ich zum ersten Mal einen Fluss sehe. Später versuche ich, nach unten, zum Wasser, zu kommen. Ich setze mich auf den Fels, rutsche nach unten, finde Halt, mache ein paar kleine Schritte vorwärts und stehe am Wasser. Eine ganz kleine Bucht, von drei groben Steinen umschlossen, liegt einen halben Meter unter meinen Füssen. Das Wasser ist hier schwarz und fast ruhig. Einige rote Birkenblätter, eiförmig mit feinen Zacken schwimmen auf dem schwarzen Wasser. Sie bewegen sich in sachten Bahnen. Ich setze mich auf den feuchten Stein und schaue ihnen zu.

Irgendwann kommt mir der Gedanke, dass ich zu Martin zurücksollte. Ich kehre um. Während ich mich erst mühsam am Stein, auf dem ich sitze, hochziehe und dann, zunächst auf allen Vieren, den Weg zur Felsplattform zurückfinde, von der aus ich den Fluss erblickt habe, fällt mir auf, wie ungehörig und untypisch es für mich ist, jemanden warten zu lassen. Immer bin ich pünktlich, meistens bin ich zu früh, noch nie hat jemand auf mich gewartet. Ich stehe da und schaue nochmals auf den vorwärts drängenden Fluss, ich überlege und merke, dass ich keine Angst davor habe, dass Martin auf mich warten muss. Eine merkwürdige Erfahrung ist das. Ich drehe mich um und gehe auf den Wald zu. Ich dränge mich vorwärts, durch die dünnen Bäume hindurch. Ich höre den Fluss hinter mir, aber plötzlich weiss ich nicht mehr, wo die Strasse ist. Rings um mich die dünnen Bäume mit ihren roten Blättern. Ich stolpere zweimal, fühle mich unsicher. Zum Fluss könnte ich zurückfinden, ich höre ihn ja beständig, doch wo ist die Strasse? Soll ich rufen? Aber würde mich Martin hören? Rings um mich, überall, sind Zweige mit roten Blättern. Ich beschliesse, zum Fluss zurückzugehen und finde nach kurzem Suchen die Stelle, an der ich vorhin gestanden habe. Ich überlege. Dann drehe ich mich wieder um und versuche, möglichst im rechten Winkel zum Fluss in den Wald hineinzukommen. Diesmal finde ich die Strasse – ich habe das Glück, dass ein Auto vorbeifährt, ich kann mich nach seinem Geräusch richten. Ich bin erleichtert. Die Raststelle, auf der das graue Auto in der Sonne glänzt, liegt etwa zweihundert Meter von mir entfernt. Ich gehe am Strassenrand in Richtung Rastplatz, ich komme zu den grossen roten, grau gefleckten Felsblöcken. Jetzt sehe ich, dass Martin neben dem Tisch steht. Er hält die Hand über die Augen, er hält Ausschau nach mir. Er winkt. Ich winke zurück. Ich überquere die Strasse. Martin hat sich wieder gesetzt. Nur noch ein paar Schritte durch die Büsche und dann bin ich bei ihm. Ich setze mich. Ich atme heftig. Ich weiss, ich bin zu dick, und ich weiss, dass ich deshalb so rasch ausser Atem gerate. Er blickt auf und sagt nur: »Ist es schön gewesen?« Ich nicke. Der Holztisch ist leer, Martin hat die Bananen und die Tüte mit den Mandeln bereits eingepackt. »Können wir gehen«, fragt er, »oder möchtest du noch etwas warten?«

Ich blicke auf meine dicken Hände auf dem Tisch. Es ist überraschend, dass ein Mensch zu einem anderen Menschen so freundlich sein kann. Dann denke ich an den Fluss, den ich erlebt habe. Ich möchte etwas sagen, aber die richtigen Ausdrücke fallen mir nicht ein. Darum sage ich nur: »Wir können gehen, Martin«. Und ich sage noch »danke«.

Er lächelt. Sein ganzes Gesicht lächelt. Seine Augen erinnern mich an den Martin, der vor vielen Jahren gelebt hat, aber anders als damals liegen seine Augen nun tief in den Höhlen.

Wir fahren weiter. Martin fährt, und ich schaue aus dem Fenster. Er hat mich gefragt, ob ich selber fahren will. Aber ich möchte lieber bei dem Gefühl bleiben, das ich empfunden habe, wie ich den reissenden Fluss gesehen habe und dann die gezackten roten Blättchen auf dem stillen schwarzen Wasser.

15.

Ich sehe am Strassenrand eine Hinweistafel: DAASIIN. Martin sagt: »Das ist ein Museum, möchtest du es sehen?«

»Ein Museum? Wie gestern?«

Er schüttelt den Kopf. »Nein, das ist ein« – er sucht das Wort – »konventionelleres Museum. In das von gestern sind wir gegangen wegen der Aussicht, wegen des Blicks.«

»Konventionell?«, sage ich und füge hinzu: »Ich würde es gerne sehen«.

Wir fahren noch gut fünf Minuten, dann sehen wir das Museum. Es ist ein fensterloser Kubus, aus rötlichem Stein, vielleicht ist es derselbe Stein, den ich an der Strasse – auf dem Weg zum Fluss – gesehen habe. Vor dem Museum liegt ein riesiger Parkplatz, auf dem wenige hingestreute Autos stehen. Und bei der Einfahrt auf den Parkplatz befindet sich eine Tankstelle, an der Martin vorbeifährt. Er parkt das Auto gleich beim Eingang, einer riesigen rechteckigen Öffnung, zu der eine Betontreppe hochführt. Wir steigen sie hinauf, stehen vor einer Glastüre, auf der in mehreren Sprachen steht, dass dies das Museum des Roten Nordens ist. Es stehen auch die Öffnungszeiten auf der Türe angeschrieben.

Martin macht einen Schritt auf diese Türe zu; sie öffnet sich. Hinter einer langen, angeleuchteten Theke aus hellem Holz sitzen zwei bebrillte Damen in gepflegten Uniformen. Die eine verkauft Martin die Eintrittskarten, die andere überreicht mir einen Übersichtsplan für das Museum DAASIIN.

Das Museum ist dunkel. Es scheint mir als eine Art gewundener Gang geformt zu sein. An den Seiten dieses Gangs befinden sich erleuchtete Schaufenster, mit deren Hilfe man den Roten Norden verstehen sollte. Es wird erklärt, warum hier Birken wachsen. Es wird erklärt, warum ihre Blätter rot sind. Es wird erklärt, welche Vögel hier leben (ich habe in den anderthalb Tagen, in denen ich hier bin, keinen einzigen Vogel gesehen oder gehört, aber offenbar gibt es hier viele Vögel). Es werden die Säugetiere, die im Wald leben, gezeigt. Das Museum zeigt sie ausgestopft und in künstlicher Umgebung in seinen Schaufenstern und auch in leicht verständlichen Videofilmen. Gewaltige Bären leben im Roten Norden, sie verkriechen sich im Winter in ihre Höhlen, schlafen und versiegeln den Darmausgang mit einem Zapfen. Die Bärinnen gebären ihre Kinder sozusagen im Schlaf in der Höhle. Hermeline, eine Wieselart, leben hier. Sie stehen im Schaufenster auf den Hinterbeinen und starren mit riesigen dunklen Augen durch die Glasscheibe. Die Kinder der Hermelinfrauen sind winzig, nur drei Gramm schwer, wenn sie zur Welt kommen. Bei den Hermelinen bleiben die Männer bei der Familie; die Bärinnen müssen alles selber erledigen.

Das Museum zeigt, wie sich die Rentiere im Schnee fortbewegen. Es muss Elche hier geben, riesige, langnasige Hirsche, die im Video durch den dicht fallenden Schnee stapfen. Ganz verschiedene Fische leben in den Seen hier, die im Winter gefrieren. Doch den Fischen macht das nichts. Sie leben unten auf dem Grund des Sees, wo das Wasser vier Grad warm ist. Ich gehe von Guckkasten zu Guckkasten und schaue mir die Exponate und die verschiedenen Filme an. Martin ist nicht bei mir. Er hat, nachdem er die Eintrittskarten bezahlt hat, gemurmelt, dass es in diesem Museum vernünftigen Espresso gebe. Er sitzt jetzt wohl im Museumsrestaurant. Offenbar hat es in diesem Museum ohne Besucher auch ein Restaurant oder mindestens einen Ort, an dem man Kaffee trinken kann. Er kennt das Museum, für mich ist es neu.

Am Ende der Gang-Spirale ist eine Türe erkennbar. Ich öffne sie. Ich höre Musik. Ein erstaunlich grosser Saal, finster, von wenigen Spots erhellt, ganz leer, mit vielen Stühlen, die auf eine Leinwand gerichtet sind. Da läuft ein Film. Ich setze mich auf einen der Stühle; auf der Leinwand sind bewegte psychedelische Bilder zu sehen: riesige grüne Wirbel, welche von gewaltigen purpurroten Flammen abgelöst werden, die sich fortwährend bewegen; es folgt ein pastellblauer, gleissender Kreis, der hellblaue und violette Strahlen von sich wirft, dann olivfarbene schlierenartige Schleier, die sich über die ganze Leinwand bewegen. Und so geht es weiter. Es ist schön, wirklich schön, ohne Musik würde mir das allerdings noch besser gefallen. Es ist die Art von Musik, von der meine Tochter, als sie ein Kind war, gesagt hat, dass sie Fäden zieht. Wie flüssiger Käse. Die Bilder sind wundervoll, ich finde jedoch keinen Zusammenhang zum Inhalt der pädagogischen Glasvitrinen, die sich ausserhalb der Türe befinden, über der ein flammend rotes EXIT leuchtet. Vielleicht wird mir der Zusammenhang später einfallen, es muss einen geben. Nach ein paar Minuten stehe ich auf, verlasse den Raum und gehe den gewundenen Weg mit den hellen Schaufenstern zurück, ich merke erst jetzt, dass dieser Weg leicht ansteigt. Abgesehen von den rotblättrigen Birken und den Rentieren, habe ich das, was die Schaukästen zeigen, nie wahrgenommen, und doch gibt es das alles. Und wo sind diese zuckenden, drehenden, fliessenden Farben?

Und was will Martin im Roten Norden? Wohin geht unsere Reise?

Martin sitzt an einem kleinen Tisch vor einer kleinen braunen Tasse. Der Raum ist leer, erstaunlicherweise sind Fenster vorhanden, die Licht geben. Es stehen Tische da und Stühle, aber ausser Martin ist niemand da. Er sieht mich, nickt, geht an die Theke, und nun erscheint eine uniformierte Dame, die – offenbar auf seinen Wunsch – auf einen Knopf einer gewaltigen, verchromten Kaffeemaschine drückt. Ich habe mich an seinen Tisch gesetzt und warte, er kommt mit einem Tässchen in der Hand für mich zurück.

Ich sehe in seine Augen. Seine Augen verraten, dass er Angst hat. Ich kenne Martin so lange; der Ausdruck seiner Augen – die tief in den Höhlen liegen – ist anders als früher. Er lächelt. Er sagt: »Hat es dir gefallen?«

»Ja«, sage ich. Ich nehme die kleine braune Tasse hoch. Der Kaffee duftet, und Martin schaut mich an, und so sage ich nochmals: »Ja«.

»Und das Nordlicht?«, fragt er. Das war also das Nordlicht. Und ich habe es nicht kapiert.

Ich versichere ihm, dass das Nordlicht wunderschön und eindrücklich gewesen sei. »Hast du das Nordlicht schon einmal gesehen?«, frage ich und füge, um eindeutig zu sein, hinzu: »in … in Wirklichkeit, meine ich.«

Er schüttelt den Kopf.

»Aber du bist doch schon einmal hier gewesen?« frage ich. Ich weiss, dass ich mich damit auf ein Terrain begebe, auf dem ich nichts zu suchen habe. Er zieht die Augenbrauen zusammen und meint, dass er natürlich schon hier gewesen sei, dass er sogar schon zweimal hier gewesen sei.

»Du bist jetzt zum dritten Mal im Roten Norden?«, frage ich.

Martin sagt »ja«. Er schaut stur auf mein Tässchen, das nun leer ist. Mir gefällt sein Gesichtsausdruck nicht, es ist jedoch bestimmt nicht hilfreich, wenn ich weitere Fragen stelle; darum sage ich: »Komm, wir gehen!« und stehe auf. Ich bringe beide Tässchen zur verlassenen Theke und folge ihm dann. Er steht bereits beim Auto, als ich aus dem Museum komme. Er fragt mich, ob ich fahren möchte, aber es ist besser, wenn er fährt, dann denkt er an die Strasse und nicht an … Ich weiss nicht, woran er denkt, doch es ist nichts Gutes.

Er hält noch an der Tankstelle, tankt und fährt weiter. Wir fahren auf einer breiten Strasse zwischen roten Bäumen hindurch. Der Himmel ist dunkelblau. Ganz selten kommt uns auf der Gegenfahrbahn ein Auto entgegen. Ich bin es nicht gewohnt, dass die Welt um mich farbig ist; da, wo ich herkomme, ist sie grau.

Wohin fahren wir? Martin kennt das Ziel. Ich schliesse die Augen und unerwartet, ganz unerwartet, steigt das Bild des Delfins in mir auf – nicht das Bild, das jahrzehntelang in meinem Wohnzimmer gehangen hat, sondern das Erlebnis, ich lehne mich an die Reling, alles ist blau, alles schimmert; das Meer, der Delfin, der Himmel, der Fahrtwind, die Luft schmeckt salzig, ich habe das Gefühl, auch ich gehöre in dieses blaue Schimmern hinein. Mein Herz pocht. Ich weiss, ich habe das einmal wirklich erlebt. Damals habe ich mir keine Gedanken gemacht, ob ich den Weg kenne; ich glaubte ihn zu kennen, das genügte. Ich schlage meine Augen wieder auf. Wir fahren durch ein nicht enden wollendes rotes Gebiet, und darüber spannt sich der blaue Himmel.

Dann stoppt Martin. Aber es ist nicht das Ziel – nur eine Zwischenstation. Wir werden hier übernachten. Ich steige aus. Wieder ein weissgestrichenes zweistöckiges Hotel. Wieder eine Tankstelle. Wieder ein Supermarkt gegenüber. Ich überlege mir, Wasser zu kaufen, bevor wir morgen losfahren. Bananen und Mandeln, Bananen und Mandeln, Martin und Sophie damals, Martin und Sophie heute ... dennoch, einige Flaschen Wasser wären sinnvoll.

Der Himmel ist immer noch tiefblau, als wir das Hotel betreten. Wir finden rasch unser Zimmer im ersten Stock. Martin sperrt es auf. Ein enger Raum; je ein extrem schmales Bett, parallel an den Längswänden, dazwischen, am Fenster, ein quadratischer Holztisch, ein hölzerner Stuhl daneben. Ich ziehe das weisse Rollo hoch. Nun spiegeln sich die Möbel in der Scheibe. Ich lehne die Stirn ans Glas und schaue nach draussen. Vor dem Fenster wölbt sich ein Vordach, es verdeckt fast die ganze Sicht auf die Strasse. Das Vordach ist mit dunkelgrauer Dachpappe belegt, über die sich ein weisses Kabel schlängelt. Einige Platten aus undefinierbarem Material und zusammengeknüllter Einwickelplastik liegen auf dem Vordach. Der Himmel ist jetzt pastellblau, dämmriges Licht liegt auf der Strasse. Ein Auto mit aufgeblendeten Scheinwerfern gleitet vorbei.

Martin sitzt auf einem der Betten. Er sieht mich an. »Sie haben kein besseres Zimmer gehabt«, sagt er. »Sie sagen, sie sind ausgebucht.«

Ausgebucht? Seltsam. Ich habe den Eindruck, hier sind fast keine Menschen. Aber ich sage: »Martin, Hauptsache, wir sind da.« Und nach einer Pause füge ich hinzu: »Du hast ein Ziel, und wir kommen ihm näher.«

»Ja«, sagt er. Er schaut auf seine Knie. »Morgen kommen wir an.«

16.

Wir sitzen im Hotelrestaurant und essen zu Abend. Auch dieses Hotel liegt an einem See – wie das, in dem wir gestern übernachtet haben. Wir sitzen am Fenster mit Blick auf den See. Wir sind ganz alleine im Restaurant. Ein massiger Mann bedient uns. Er ist sehr höflich; und doch traue ich mich nicht, ihn nach den vielen anderen Gästen zu fragen, die es doch irgendwo geben muss.

Hier gibt es auf der Karte nicht nur Rentierbraten und Rentiergulasch, sondern auch Elchgerichte. Es leben also hier in der Gegend Elche. Ich blicke Martin, der die Speisekarte studiert, über meine Karte hinweg an und murmle: »Vieles sieht man nicht.«

»Wie bitte?« Er schaut verblüfft auf. »Der Elch«, sage ich. »Er muss hier irgendwo sein, sonst wäre ja kein Elchfleisch auf der Speisekarte.«

»Wir können es probieren«, sagt Martin. Er richtet sich auf und nickt mir zu. »Wir verifizieren seine Existenz, indem wir ihn essen.« Und so bestellt er Elchrouladen, und ich bestelle Elchragout.

Ich weiss nicht, ob Martins Satz vom Verifizieren schlüssig ist. Aber er tönt elegant. Und das Ragout, das dann serviert wird, ist gut, es ist mit Rotweinsauce getränkt, und daneben liegt Kartoffelpüree. ----

Ich sehe zum Fenster hinaus und sehe den Himmel. Er ist wolkenlos hellgrau, nur am Horizont, oberhalb des dunklen Waldes am gegenüberliegenden Ufer ist er von einem gelblichen Weiss. Und seine Helligkeit spiegelt sich im beweglichen, bewegten Wasser des Sees.

Gestern Abend: Gestern waren See und Himmel rosarot.

»Es hängt vom Himmel ab, wie der See ist« sage ich vor mich hin. Martin schiebt gerade mit dem Messer Kartoffelbrei auf seine Gabel; er blickt auf und dann schaut er zum Fenster hinaus. »Seele des Menschen, wie gleichst du dem Wasser« – der Vers, den ich da zitiere, ist mir durch das Gedächtnis gerutscht.

Martin nickt und fügt den letzten Vers des Gedichts hinzu: »Schicksal des Menschen, wie gleichst du dem Wind«.

Ich lächle. Es ist gut, wenn man ein Gedicht zitieren darf und nicht deswegen ausgelacht wird. Ich habe mehr als dreissig Jahre keine Gedichte mehr zitiert. Und Martin sagt: »Du meinst, es müsste heissen: Schicksal des Menschen, wie gleichst du dem Himmel – wenn es sich um einen See und nicht um einen Wasserfall handelt?«

»Ja«, sage ich.

Wir schauen uns in die Augen. Und dann schüttelt er den Kopf: »Die Menschenseele reflektiert nicht nur«, sagt er langsam. »Sie ist auch etwas aus sich heraus.« Ich blicke auf meine zu dicke Hand, die die Gabel hält, und dann auf das glänzende, sich ständig verändernde Wasser jenseits der Scheibe. »Was ist mit *Schicksal* gemeint, Martin? Die Gesellschaft, von der so viel gesprochen worden ist, als wir an der Uni waren – nun, ich bin ja kaum dort gewesen? Sachzwänge?«

Auch er blickt jetzt nach draussen. Er wartet etwas, bevor er antwortet. Er formuliert langsam: »Schicksal meint, dass das, was auf einen zukommt, das, was man erlebt, einem von einer höheren Instanz geschickt worden ist. Wenn dein Handeln Sachzwängen unterliegt, fehlt jede Möglichkeit der Existenz einer höheren Instanz …« Er sucht nach den richtigen Worten und endet dann rasch: »Der Mensch, der sich als im Horizont einer höheren Instanz existierend begreift, hat die Chance, die Welt deuten zu können.« Ich verstehe, was er meint. Martin drückt sich so aus, da ich die Uni erwähnt habe. Der Professor, dem ich zwei Semester lang zugehört, von dem ich Martin vorgeschwärmt habe, weshalb Martin später auch zu einem seiner Studenten geworden ist – dieser Professor hat immer »im Horizont von …« gesagt.

»Martin, glaubst du an das Schicksal oder glaubst du an Sachzwänge?« Er dreht mir sein Gesicht zu, und ich ärgere mich, dass ich das, was ich sagen möchte, so schlampig formuliert habe. Ich korrigiere mich, hastig zuerst, und dann bedächtiger, weil ich die richtigen Ausdrücke nicht sofort zur Hand habe. »Martin, glaubst du, dass du vom Schicksal gelenkt, oder ... von Sachzwängen bestimmt wirst?« Ich spüre, ich habe keine Übung darin, das, was ich sagen möchte, zu sagen. Er legt den Kopf in die Hand des aufgestützten Armes und sieht wieder hinaus. Der See wirft ein fahles Licht auf sein Gesicht. Schliesslich sagt er, er wisse es nicht. Ich solle mir eine Ameise vorstellen. Diese Ameise sei sicher der Auffassung, dass sie ihre Ameisenarbeit freiwillig tue. Wenn wir sie beobachteten, sähen wir, dass ihr Tun von Sachzwängen bestimmt sei. Und doch – möglicherweise habe eine höhere Instanz der Ameise ihre Ameisenarbeit als Schicksal geschickt.

»Du bist keine Ameise«, sage ich.

»Warum nicht?«, fragt Martin. Er schluckt und reckt kurz das Kinn etwas hoch. Aber dann blickt er mir direkt in die Augen, er runzelt seine Stirne. »Erinnerst du dich? Ich habe vorher gesagt, dass die Seele des Menschen nicht nur reflektiert. Und darum, weil die Seele des Menschen, so wie ich sie sehe, nicht nur wie das Wasser die jeweilige Farbe des Himmels spiegelt, sondern ...«, er macht eine Pause, sucht und schliesst dann abrupt: »Darum muss ich das machen, was ich jetzt mache, was wir zusammen machen«.

Ich denke: Er sagt, er *muss* das machen, was er macht, er tönt, als ob das ein Sachzwang wäre. Aber ich äussere das nicht. Ich sage nichts. Ich denke daran, was Martin von der Menschenseele gesagt hat. Dabei kommen mir die Rentiere in den Sinn, die ich gestern gesehen habe: helle Tiere mit recht kurzen braun-samtigen Geweihen. Sie haben mit dunklen, leicht hervorstehenden Augen geschaut. Ich habe kaum Erfahrung mit Tieren, denke ich, weil Kaspar mir verboten hat, ein Haustier zu halten. Aber warum soll nur die Menschenseele die Möglichkeit zur Freiheit in sich haben? Es fällt mir auf, dass Martin das Wort »Freiheit« vermieden hat.

Die Katze Mimi, die am Anfang dessen steht, das mich hierhin, in den Roten Norden gebracht hat. Sie hat immer genau das gemacht, was sie wollte. Ich nicke.

Der See ist dunkler geworden, das Licht ist vom Himmel verschwunden. Ich lege die Gabel hin und stehe auf. »Ich gehe in unser Zimmer«, sage ich und greife nach dem Schlüssel, der auf dem Tisch liegt.

17.

Diese Nacht stehen die Betten nicht nebeneinander. Ich liege auf dem Rücken. Ich habe das Gefühl, dass ich so breit wie das Bett bin. Martin ist im Bad. Der Lichtschein aus dem Badezimmer (winzig auch dieses, aber ganz neu) dringt unter der schlecht schliessenden Türe durch. Dann löscht Martin das Licht. Ich höre, wie er die Türe einklinkt, durch den Raum geht und sich in das andere Bett legt. Ich drehe mich um, stütze mich auf den Ellbogen, sodass ich Martin als Umriss sehe. Die Hexe kommt mir in den Sinn, die damals unter seinem Bett kauerte. Jetzt ist keine Hexe mehr da, denke ich. Und bei mir ist schon lange kein Krokodil mehr unter dem Bett. Damals habe ich erst einschlafen können, wenn ich dem Krokodil mehrfach gesagt habe, dass es ein liebes Krokodil ist und dass ich es lieb habe. Das Krokodil ist dann immer seltener gekommen. Ganz weggeblieben ist es, nachdem ich Kaspar kennengelernt habe. Aber dann ... nach Violets Geburt ... sie hat nachts immer so geschrien, und Kaspar wollte seine Ruhe haben, er musste ja am nächsten Morgen zur Arbeit, während ich zuhause bleiben durfte … dann habe ich nachts nicht mehr schlafen können. Das hat immer so weitergedauert, ich habe nicht schlafen können, nie richtig schlafen können; jetzt fällt es mir auf: Seit ich aus Kaspars Haus weggegangen bin (ich weiss, es sind erst fünf Nächte), schlafe ich einfach so. Ich schaue auf Martins Umriss. Er hat sich hingelegt, er liegt auf dem Rücken.

»Martin«, sage ich. Der Martin-Schatten dreht sich um, dreht sich zu mir. »Seit Kurzem kann ich schlafen. Wie steht es eigentlich bei dir?«

Erst sagt er nichts. Ich warte. Dann höre ich ihn sagen, dass er, wie immer, auch in den letzten Nächten aufgewacht sei und nicht mehr habe weiterschlafen können. Dass seine Gedanken wie immer im Kreis herumgegangen seien.

»Aber die Hexe ist weg?«, frage ich.

»Die Hexe?«

»Die Hexe unter deinem Bett!« »Ah ja«, sagt er. »Die Hexe ist schon lange weg.«

Und ich sehe Tante Sophie vor mir, sie sieht eigentlich aus wie eine Hexe, mit ihren wenigen Zähnen und dem langen, wirren Haar. »Hat sie ausgesehen wie Tante Sophie?«, frage ich leise.

»Tante Sophie?« Auch er ist leise. »Nein, eigentlich nicht. Sie hat ganz lange Fingernägel gehabt und spitze Zähne. Rote Haare.«

»Woher weisst du, wie Tante Sophie jetzt aussieht?«, frage ich.

Er lacht. Das heisst, ich höre ein schnaubendes Durch-die-Nase-Lachen. »Ich habe sie gesehen. Ich habe sie einige Male besucht im letzten Jahr. Ich habe ihr Blumen mitgebracht.«

Wenn er wirklich bei ihr zuhause war, ist es besonders fremd, dass er mir gegenüber am Telefon gesagt hat, sie sei gestorben. Und doch, es ist die einzige Idee, bei der Kaspar keinerlei Verdacht geschöpft hätte, mit deren Hilfe ich unser Haus an einem bestimmten Nachmittag einfach so hätte verlassen können. All das äussere ich aber nicht. Stattdessen frage ich Martin, ob er nicht auch meine, dass sie sich sehr verändert habe.

»Ach Sophie«, höre ich seine ruhige Stimme, »das ist nur das Alter. Und sie war immer allein.«

»Immer, seit Grossvater gestorben ist«, sage ich. Ich vernehme ein grosses Schnaufen. »Auch davor war sie allein. Grossvater war vor seinem Tod zwölf Jahre im Pflegeheim.«, höre ich ihn sagen.

Zwölf Jahre ... Es fallen mir vereinzelte Besuche in diesem Heim ein. Das erste Mal habe ich Violet mitgenommen, ein braves Kind in Bluejeans, die dem alten Mann missfallen haben. Und dann, nach zwölf Jahren im Pflegheim – zwölf Jahre sind eine lange Zeit – die

Beerdigung. »Erinnerst du dich an Grossvaters Beerdigung?«, frage ich nach einer Pause.

»Ja«, sagt er. »Das heisst, ich erinnere mich weniger an die Beerdigung als an etwas, was vorher passiert ist.«

Was ist das? Martin will mir etwas erzählen! Das hat er dreissig Jahre lang nicht getan. Er will mir etwas von sich erzählen.

»Was denn?«

Zuerst sagt er nichts. Ich warte. Sein Schatten bewegt sich etwas. Ich vernehme ein Räuspern, dann noch eines. Aber irgendwann fängt er an.

»Wir hatten eine Ferienwohnung gemietet. Natalie, ich, die Kinder. Grossvater ist ja zwischen Weihnachten und Neujahr gestorben. Natalie und ich, wir haben gedacht, die Ferienwohnung würde uns guttun. Ausspannen. Skifahren. In der Sonne spazieren. Sie meinte, es würde auch den Kindern guttun. Sie waren ja noch klein. Zweijährig.«

Er sagt nichts mehr. Ich warte. Eine Minute, zwei Minuten. Vielleicht muss er sich erinnern, wie es genau war. Dann fährt er fort:

»Wir sind nicht viel zum Skifahren gekommen. Wegen der Kinder. Wir haben mit ihnen geschlittelt. Oder wir sind spazierengegangen im Schnee, auf präparierten Wegen natürlich, und haben sie auf je einem Schlitten hinter uns hergezogen. Sie waren« (Pause) »warm eingepackt in … Schlittensäcke, graue Schlittensäcke mit gelbem Futter. Manchmal bin ich doch Ski gefahren. Alleine. Ein- oder zweimal ist auch Natalie alleine Ski gefahren.«

Martin stockt. Aber ich weiss, er wird fortfahren.

»Die Wohnung hat drei Zimmer gehabt. Ein grosses Wohnzimmer. Ein Elternschlafzimmer. Und ein kleines Kinderzimmer. Das Wohnzimmer hat einen Balkon gehabt. Man hat draussen in der Sonne Kaffee trinken und den Skifahrern zuschauen können.« Er macht wieder eine Pause. Ich warte und schaue auf seinen Umriss, der sich kaum bewegt.

Dann setzt er wieder ein: »An dem Abend, von dem ich erzähle, habe ich auf dem Bett im Elternschlafzimmer gelegen. Ferienwohnungsbetten riechen nach den Leuten, die normalerweise drin schlafen ... Die Kinder haben im Nebenzimmer gelärmt. Ich meine, ich habe sie gehört, aber ich habe ihnen nicht zugehört. Manchmal hab ich Natalies Stimme gehört. Sie hat halt auf sie aufgepasst. Möglicherweise hat sie dabei ein Buch gelesen.

Ich liege auf dem Bett und schaue zum Fenster. Der weissblaue Himmel wird allmählich dunkler. Manchmal werden Schneeflocken vom Wind am Fenster vorbeigeweht, man sieht sie dann wie Schatten, weil sie dunkler sind als der Himmel. Ich meine, sie sind nicht dunkler, aber sie erscheinen dunkler. Ich liege und schaue zum Fenster, auf die beiden hellen Rechtecke, die dunkler werden. Im andern Zimmer tönen die Kinder. Das Telefon muss einmal geklingelt haben, aber ich habe es nicht bemerkt. Ich hab auf das Blau geschaut, das Blau im Fensterrahmen, das sich mit der Zeit fast unmerklich verändert hat. Dann ...«

Jetzt folgt eine Pause; eine Art unausgefüllter Raum, der dringend danach verlangt, gefüllt zu werden, in diesem kleinen, engen Hotelzimmer, dessen Lichtquelle der Nachthimmel ist, der durch die quer gestellten Jalousienlamellen in Streifen geschnitten wird.

»Und dann öffnet sich plötzlich die Zimmertüre. Natalie. Sie fragt, ob sie Licht machen kann, und sie knipst es an, bevor ich antworten kann. Der Himmel jenseits der Scheibe ist jetzt schwarz, und die Schneeflocken sind im Licht hell. Natalie sagt, dass du eben angerufen hast, dass du gesagt hast, dass Grosvater gestorben ist. Sie sagt auch, wann und wo die Beerdigung stattfinden wird. Die Kinder drängen sich an Natalie vorbei und kommen ans Bett. Ich hab mich aufgerichtet, und Natalie hat sie – jedes mit einer Hand – zurückgeholt. Sie sagt, dass sie, falls ich es wünschte, zur Beerdigung mitkomme. Dass es wegen der Kinder wohl einfacher sei, wenn ich alleine hinfahren würde.

Ich sage nichts. Das Zimmer ist plötzlich so hell, und mein Grossvater ist gestorben. Dann hab ich gefragt, ob ich allein sein kann. Sie hat genickt. Sie hat das eine Kind – Florian, glaube ich – vor sich hergeschoben und das andere auf den Arm genommen. Sie hat nicht mehr das Licht gelöscht, bevor sie die Tür geschlossen hat.«

Jetzt schweigt Martin. Ich warte. Er wird fortfahren.

So ist es auch.

»Ich liege jetzt im Hellen. Eine Erinnerung drängt sich in meinen Kopf. Ich habe den Eindruck, sie sei ganz nahe, ganz vertraut. Sie geht so: Ich habe eine Pelerine an, so eine Art Regenmantel ohne Ärmel. Ich bin klein. Es regnet. Die Tropfen prallen und prasseln gegen die Kapuze. Sie machen Lärm. Ich gehe. Meine Füsse stecken in Gummistiefeln. Und wenn ich auf diese kleinen Stiefel schaue, sehe ich, wie das Wasser bei jedem Schritt hochspritzt.

Meine rechte Hand ist warm, in meiner Hosentasche unter der Pelerine. Aber mein linker Arm wird nass. Ich habe ihn durch den Ärmelschlitz der Pelerine nach draussen gestreckt. Der Ärmel – was habe ich angehabt? Einen Pulli? Ein Hemd? – ist nass, er klebt am Arm. Doch das macht nichts. Die Hand, die linke Hand wird von der grossen Hand meines Grossvaters gehalten. Sie ist ganz warm, denn er hat ja eine viel grössere Hand als ich, er umschliesst ganz meine Hand.«

Martin macht wieder eine Pause.

»Der Grossvater hat auch eine Pelerine an. Sein Arm ist auch nass. Sein rechter Arm und mein linker sind nass geworden. Wir gehen zusammen durch den Regen. Und ich denke: *Freunde. Wir sind Freunde.* Da sind die Geräusche: Die hellen, die entstehen, wenn man mit den Stiefeln in die Pfützen tritt, und die dunklen, die der Regen verursacht, der auf die Kapuze fällt. Ich denke *Freun-de, wir sind Freun-de.* Im Takt meiner kleinen schnellen Schritte – ich muss rasch gehen, weil Grossvater so viel längere Beine hat – denke ich immer wieder *Freun-de, wir sind Freun-de.*«

Martin sagt nichts mehr. Aber ich weiss, er wird weitersprechen.

»Das ist es. Das ist die Erinnerung. Nichts als das.«

Ich fühle, dass die Geschichte noch nicht zu Ende ist. Ich warte. Dann redet er ganz rasch.

»Sophie, ich bin dagelegen in dieser Ferienwohnung, auf diesem Bett. Plötzlich – es war wie ein Schlag – hab ich gespürt, dass ich nicht weiss, ob diese Erinnerung wirklich das ist, was man so eine Erinnerung nennt. Ist es eine Erinnerung an etwas, was wirklich einmal geschehen ist? Oder ist es nur eine Erinnerung an etwas, was ich damals gern gehabt hätte? Wonach ich mich damals gesehnt habe? Ich bin sofort aufgestanden, habe das Licht gelöscht. Dann bin ich ins Wohnzimmer gegangen und hab dich angerufen. Ich hab dir gesagt, dass ich zur Beerdigung komme … Ja, ich habe beschlossen, dass die Frage, ob die Erinnerung sich auf ein wirkliches Ereignis bezieht oder nicht, unwesentlich ist. Aber ich habe dieses Erlebnis nie vergessen. Das ist seltsam, nicht?«

Sein Umriss bewegt sich kaum, aber ich weiss: Das ist das Ende der Geschichte.

18.

Ich will aufstehen Ich wuchte mich hoch. Ich kann mich nur schwer abstützen, weil das Bett so schmal ist.

Schliesslich schaffe ich es. Ich gehe die zwei Schritte zum anderen Bett und tapse irgendwo auf den schwarzen Umriss. Ich spüre die Decke, und darunter ist Martin.

Es ist eine schlimme Geschichte. Und ich habe keinerlei Möglichkeit, sie zu entkräften. Ja, es ist mühsam und schlimm, darüber zu sprechen. Aber er hätte sie sicher nicht erzählt, wenn er nicht wünschte, dass ich eine Antwort gebe.

Ich spüre ihn unter meiner Hand. Ich sage: »Martin!« Er reagiert nicht. Schliesslich höre ich ihn: »Ich hätte das nicht erzählen sollen. Es ist eine sinnlose Geschichte.«

Ich stehe da; barfuss in dem weiten Nachthemd, das ich mir in Zürich gekauft habe, als ich gewusst habe, dass ich nicht mehr zurückkehren würde.

Ich lege meine Hand nochmals kurz auf den dunklen Hügelzug, der auf dem Bett liegt. Die Geschichte mit der Hexe – da hätte ich, wenn ich in der Zeit zurückfliegen könnte und wenn ich damals gewusst hätte, was ich jetzt weiss, etwas ändern können, helfen können. Aber die Grossvater-Geschichte – in der ist Martin nicht zu erreichen. Ich gehe zwei Schritte zurück, setze mich auf mein Bett.

»Martin«, sage ich nochmals.

Ich höre ihn lachen. Dann sagt er: »Ich finde es grossartig, dass du ganz allein herausgekommen bist aus deinem Haus. Ganz allein, nach so vielen Jahren.«

Also, sprechen wir halt über mich. Was kann ich dazu sagen? Ich suche nach den richtigen Ausdrücken. Ich finde schliesslich Wörter, die mit dem, was ich erlebt habe, zu tun haben.

»Ich bin sicher gewesen, dass ich nie, nie hinauskommen würde. Und dann ist es plötzlich ganz einfach gewesen. Es hängt vielleicht mit dem Weinen zusammen.«

»Mit dem Weinen?«

»Ja. Ich habe so furchtbar weinen müssen. Weil die Katze das Bild kaputt gemacht hat. Und ich habe genau gewusst, dass ich selber daran schuld bin.« Vernünftig tönt das nicht.

»Nachdem du geweint hast, war es ganz einfach?«

»Ja«.

Er schweigt. Dann sagt er: »Das mit Grossvater … dass wir Freunde gewesen sind, ist wahrscheinlich eine

Illusion. Aber es ist eine Tatsache, dass ich eine grosse Schwester gehabt habe. Eine richtige Schwester. Ich habe das nicht realisiert. Und dann, später, war ich voller Ärger, weil es Kaspar gab in deinem Leben, und Kaspar war mir fremd.«

Mir auch, denke ich.

»Und so tappt man immer weiter«, sagt er.

Und man friert, denke ich. Und man wird dick. Aber Martin wird nicht dick.

»Aber Natalie?«, sage ich.

»Natalie?«, fragt er zurück. »Wenn man so lange im Dunkeln herumgetastet hat wie ich, dann denkt man irgendwann, den Versuch ist es wert. Aber vielleicht war es gar kein Versuch. Sie war jedenfalls nicht zufrieden.«

Er sagt nicht, ob er zufrieden war. Er sagt nur, dass er es vielleicht gar nicht versucht hat.

Wir schweigen. Dann murmelt er (ich denke, er spricht gegen die Zimmerdecke, ich kann es nicht erkennen): »So viele Jahre. Und du hast es geschafft, herauszukommen.« Ich sage nichts. Was könnte ich sagen? Und er fügt hinzu: »Wie waren diese Jahre? Wie war diese lange Zeit?«

Ich nehme wahr, dass er sich im Bett aufsetzt. Wie waren diese Jahre? »Martin«, sage ich, und dann suche ich erst einmal die Worte, für das, was ich ausdrücken will. »Martin, du hast gesagt, dass du im Dunkeln getastet hast, aber dieses Bild lässt die Vermutung zu (was für ein blöder Ausdruck, aber ich habe immer Mühe, das zu treffen, was ich genau meine), dass du dich irgendwie fortbewegt hast, möglicherweise im Kreis herum, aber du hast dich bewegt. Ich habe von mir gewusst, dass ich festgemacht bin, angenagelt, angeschraubt. Festgeschraubt für über dreissig Jahre.«

»Festgeschraubt«, wiederholt er.

»Ja«, sage ich. Und weil mir nichts mehr dazu einfällt, sage ich: »Und jetzt sind wir da. Meinst du, dass wir nun schlafen können?«

Er legt sich hin, und ich höre ihn sagen: »Ich denke nicht, dass ich schlafen kann. Ich glaube es nicht.«

Eigentlich glaube ich auch nicht, dass ich einschlafen werde. Da erinnere ich mich an ein Schlafmittel, das ich vor unzähligen Jahren für Violet angewendet habe. Ich stehe auf, taste mich zum Fenster, ich weiss, dass da ein hölzerner Stuhl neben einem kleinen Tisch steht. Ich greife nach dem Stuhl, ziehe ihn zu mir und setze mich neben Martins Bett.

»Gib mir deine Hand«, sage ich.

»Welche?«, fragt er verblüfft.

»Die, die näher bei mir ist«, sag ich. Er streckt mir seine grosse Hand entgegen, ich nehme sie. Mit der einen Hand halte ich sie, mit der anderen streichle ich sie innen und aussen. Ich bin an Violets Bettchen gesessen und habe sie so zum Einschlafen gebracht. Und dann war es ein Kinderbett. Und dann hat sie die Türe abgeschlossen. Sie hat nicht mehr gewollt, dass ich ihr beim Einschlafen helfe.

Wenn man jemandem so zum Einschlafen verhilft, merkt man, wann er einschläft, denn seine Hand verändert sich. Es hat lange gedauert, bis Martin eingeschlafen ist.

Ich gehe in mein Bett zurück und decke mich zu.

19.

Wieder ein Frühstück mit Blick auf einen See. Wir sind nicht allein im Speisesaal. Etliche Gäste sitzen an den anderen Tischen, bedienen sich am Buffet. Martin sieht müde aus. Vielleicht ist er gerade deshalb müde, weil er diese Nacht besser geschlafen hat. Manchmal schaut er mir ins Gesicht. Ich denke: Eigentlich könnte er mir jetzt endlich sagen, wohin unsere Reise geht.

Dann sage ich es: »Martin, wohin fahren wir eigentlich?«

Er öffnet den Mund, er schliesst ihn wieder, er fragt: »Kann ich es dir beim Mittagessen sagen?«

Ich denke: Er will Aufschub; ich nicke.

Dann sind wir unterwegs. Ich fahre. Heute ist der Himmel nicht blau. Er ist weiss. Wir fahren durch ein Land voller roter Bäume, und das Ende der Strasse verschwimmt im Nebel. Winzige Regentropfen sind in der Luft, es nieselt. Von Zeit zu Zeit taucht ein überhoher Sendemast auf, der, aus grauen Stahlelementen zusammengefügt, in den Himmel hineinragt. Keine Tiere, keine Vögel sind zu sehen, auch wenn es hin und wieder leere Vogelnester oben in den Bäumen hat. Immer weiter fahre ich. Einmal bedeutet mir Martin, dass ich anhalten solle. Es ist Zeit für das Mittagessen, für Bananen, Mandeln und Mineralwasser (das wir heute vor dem Abfahren noch gekauft haben).

Der Rastplatz grenzt an eine rote Ebene. Es scheint mir ein Moor zu sein, ein grosses rotes Moor. Rostrote Grasflächen, in denen sich Flecken von rötlich-beigem Gras befinden. In die dunklen Gräser wie in die hellen sind weisse Wattebüschel gestreut – Wollgräser, denke ich, sind das. Die Wipfel einer Reihe leuchtend roter Birken bilden den Horizont, von dem aus sich der weisse Himmel spannt. Und dieser Himmel spiegelt sich in ein paar hingestreuten Wasserlachen.

Wir setzen uns an einen der Holztische, die ich mittlerweile kenne. Ich lege Bananen und Mandeln auf den Tisch, und Martin stellt eine Flasche mit Mineralwasser und zwei Plastikbecher dazu. Ich sitze und schaue. Erst jetzt merke ich, dass die Autostrasse mitten durch das Moor führt, das sich auch auf der anderen Strassenseite dunkelrot ausstreckt.

Martin isst eine Banane und dann noch eine. Er trinkt ein Glas Wasser. Er starrt vor sich hin und sagt schliesslich: »Wir fahren zu x.«

»x?«, frage ich nur.

»Ja«, sagt er. »Ich weiss nicht, wie er wirklich heisst. Ich habe ihn als x kennengelernt.«

»Okay«, sage ich. Okay bedeutet: Erzähl weiter. Eigentlich ist das Wort mit dieser Bedeutung nicht in meinem Wortschatz. Violet hat es manchmal so gebraucht.

»Ich habe Artikel geschrieben«, sagt Martin. Er blickt auf den Boden.

»Ja?«, frage ich. Ich weiss natürlich, dass er Artikel geschrieben hat. Er ist schliesslich Journalist.

Er legt die Bananenschale auf den Tisch. Er stützt den Ellbogen auf den Tisch und beisst auf seinen Daumen. Er schaut immer noch auf den Boden.

»Weisst du, was ein Sweatshop ist?«

»Ja«, sag ich.

»Ich habe Artikel über Sweatshops geschrieben«.

»Ja?«, frage ich. Er findet meine Reaktion nicht nett, ich merke das. (Er bewegt sich fast unmerklich in seiner wattierten Jacke.) Aber ich sehe eigentlich nicht ein, was Artikel über Sweatshops mit unserer Reise zu tun haben.

Er trinkt einen Schluck Mineralwasser. Dann fährt er fort: »Ich habe geschrieben … möchtest du wirklich Einzelheiten wissen?«

»Ja«, sage ich. Die Einzelheiten sind offenbar wichtig, sonst würde er nicht so leiden.

Er hebt das Kinn und schaut geradeaus – ins Moor hinein. Er öffnet den Mund, und er fängt ziemlich leise an zu reden. Und er redet nun, ohne dass ich ihn unterbreche.

»Die Artikel habe ich meist damit begonnen, dass keiner meiner Leser in einem Sweatshop in der Dritten Welt arbeiten möchte, oder dass keiner meiner Leser für zwei Dollar am Tag arbeiten möchte. Du hast den Leser dann auf deiner Seite, er liest weiter. Von uns aus gesehen« – er betont diese vier Wörter – »sind zwei Dollar pro Tag ein lächerlich niedriger Arbeitslohn. In Kambodscha, in Indonesien, in Nicaragua reissen sich jedoch die Menschen darum, eine solche Stelle zu erhalten.«

Er spricht langsamer: »Warum das? Ganz einfach: Weil diese Arbeit sehr viel attraktiver ist als sämtliche anderen Möglichkeiten, die sie haben, um Geld zu verdienen. An dieser Stelle des Artikels habe ich dann oft eine Frau mit exotischem Namen zitiert, die versichert hat, dass sie, bevor sie in einer Fabrik zu arbeiten angefangen hat, nur etwa 30 Cent im Tag verdiente.«

Er atmet tief ein und redet dann rasch weiter: »Wohlmeinende Menschen bei uns fordern oft, dass bestimmte europäische Arbeitsrichtlinien auch auf diese Länder angewandt werden sollen: Eine festgelegte Wochenarbeitszeit, ein Mindestalter – also keine Kinderarbeit – Mindestlöhne, Arbeitssicherheit, Gesundheitsschutz am Arbeitsplatz. Wenn solche Forderungen durchgesetzt werden, senken sie die Produktivität einer Fabrik, das sieht jeder ein. Die Produktivität der Drittweltarbeiter, die ja an Ort und Stelle angelernt werden müssen, ist sowieso niedrig. Es leuchtet also ein, dass solche Forderungen nach Arbeitsrichtlinien nicht im Sinne der Arbeiter sind, denn da die Firma kein Interesse an der Senkung der Produktivität hat, wird sie, falls solche Richtlinien angewendet werden müssen, genötigt sein, Arbeiter zu entlassen oder die Löhne zu senken.«

Martin betrachtet kurz die Fingernägel seiner rechten Hand.

»Es gibt da eine Geschichte, die oft zitiert worden ist, von einer Fabrik in Bangladesch, die in den Neunzigerjahren auf Drängen eines prominenten amerikanischen Senators hin 30 000 Kinder entliess. Es ist erwiesen, dass eine grosse Anzahl dieser Kinder, weil sie entlassen wurden, in die Prostitution getrieben worden sind.« Die Hand, die er anschaut, krampft er zusammen, und ich merke, dass jetzt der Schlusssatz kommt, denn er redet ganz schnell: »Alles in allem: Wenn man Kleider oder Spielsachen oder was auch immer für Dinge kauft, die in einem Sweatshop hergestellt wurden, hilft man den Ärmsten dieser Welt, man ermöglicht ihnen ein menschenwürdiges Dasein. So etwa sind diese Artikel aufgebaut gewesen. Manchmal habe ich auch Statistiken und Kurven hinzugefügt.«

Was er sagt, tönt überzeugend. Gewissermassen logisch. Ich frage ihn, nachdem ich kurz nachgedacht habe: »Bist du denn dort gewesen? Hast du mit den Frauen mit den exotischen Namen gesprochen?«

Martin verzieht den Mund. »Ich bin in einigen von diesen Ländern gewesen. Aber man kann diese Artikel auch schreiben, ohne je in der sogenannten Dritten Welt gewesen zu sein.«

Erst jetzt versuche ich mich daran zu erinnern, was ich über Sweatshops weiss. Violet hat früher einmal darüber gesprochen. Heftig und erregt – sie hat nicht leise gesprochen wie Martin eben, sondern laut und gehässig. Ich entsinne mich, dass sie davon gesprochen hat, dass man den Arbeiterinnen nicht einmal die Zeit gebe, aufs WC zu gehen, ja, dass sie ihre Notdurft in einen mitgebrachten Plastiksack verrichten müssten. Eigentlich ist das alles, was ich über Sweatshops weiss. Diese Geschichte mit den Plastiksäcken. Ich sehe Martins Gesicht. Er wirkt erbittert.

Ich berühre seine Hand, die jetzt auf dem Tisch liegt.

»Martin, warum hast du denn diese Artikel geschrieben?«

Er sieht mich kurz an und schaut dann wieder weg: »Krieger hat die Artikel von mir verlangt.« Krieger war offenbar damals sein Chef.

»Du hast nicht nein sagen können?«

»Ich habe Geld gebraucht, wegen der Scheidung.« Er steht auf. »Das ist natürlich Blödsinn. Man kann immer nein sagen.« Er geht um den Tisch herum, stützt sich mit den Armen darauf. »Glaub mir, Sophie«, er sieht nicht mich an, sondern das rote Moor, »man kann immer nein sagen. Aber ich habe nicht nein gesagt.« Sein

Blick ist starr, als sehe er die roten Gräser gar nicht. »Es gibt Menschen, Männer und Frauen, die solche Sachen schreiben und sie glauben. Ich habe sie nicht geglaubt.«

»Martin!« Ich lege jetzt meine Hand auf seine Hand. Jetzt blickt er mich an.

»Verstehst du nun, warum ich hier bin?«

»Ja«, sage ich. Ich möchte, dass er aufhört zu leiden. Ich möchte ihm irgendwie beistehen. »Ich bin froh, dass ich dir helfen kann«, sage ich hastig. »Wir machen es zusammen, nicht?«

Er nickt. »Ich schaffe es nicht allein. Ich habe es probiert.« Ich möchte, dass sein Gesichtsausdruck sich ändert. Ich halte es nicht aus, ihn so zu sehen. »Willst du fahren?«, frage ich. Fahren, denke ich, lenkt ihn ab. Er verzieht den Mund etwas und nickt. Wir packen die Reste unseres Essens ins Auto.

20.

Nach einer Viertelstunde Fahrt haben wir das Moor hinter uns gelassen. Der Himmel wird klarer. Martin sitzt neben mir und fährt. Er scheint jetzt ruhiger zu sein. Ich habe kurz überlegt, wo der Zusammenhang zwischen den Artikeln über Sweatshops und x ist, den wir heute erreichen werden, doch ich weiss es nicht.

Die Landschaft hat sich verändert. Zum ersten Mal, seit ich mit dem Flugzeug in Imalo gelandet bin, sehe ich auch Nadelbäume. Sie sind nicht häufig, aber hin und wieder ragt eine hohe, dunkle Kiefer unter den roten Birken auf. Wir fahren und fahren. Ich lege den Kopf in die Kopfstütze an meinem Sitz und schliesse die Augen. Das Auto dröhnt recht laut. Es schüttelt etwas.

Der Wagen steht. Ich muss geschlafen haben. Als ich die Augen öffne, sehe ich, dass Martin mich anschaut. Ich frage: »Sind wir da?«

Er lächelt kaum, zieht eigentlich nur die Mundwinkel hoch, und sagt: »Sozusagen.«

Ich steige etwas mühsam aus dem Auto. Was ich erkenne, verblüfft mich. Die Strasse – die Autostrasse – bricht einfach ab. Wir stehen vor einer Anhöhe, die mit roten Birken und vereinzelten Kiefern bewachsen ist. Die Strasse endet also abrupt am Fuss eines Hügels. Ich muss den Kopf weit in den Nacken legen, um den Himmel zu sehen. Ich schaue zu Martin. Er hebt etwas das Kinn und sagt: »Wir müssen da hoch.« Er weist mit der rechten Hand auf den Hügel; vielleicht ist dort tatsächlich so etwas wie ein Fussweg zu erkennen. Ich schlucke und nicke und gehe auf diese Möglichkeit eines Wegs zu. Martin schliesst das Auto und ist sofort bei mir. Ich möchte fragen, wie lange wir brauchen, bis wir oben sind, aber ich hüte mich. Ich bin selber schuld, dass ich so dick bin. Ich habe versprochen, Martin zu helfen.

Also steige ich Schritt für Schritt hoch. Das, was ich als Weg interpretiere, sind kahle Stellen zwischen runden Felsstücken; Stellen ohne Bewuchs, festgetretener harter Boden zwischen Wurzeln. Innerhalb kurzer Zeit klopft mein Herz heftig. Ich fühle scharfe Stiche tief in der Kehle. Ich weiss, wir sind nicht schnell. Aber mein Körper erlebt das offenbar anders. Ich halte an. Ich lehne meinen Rücken gegen eine hohe Birke, die in den blauen Himmel ragt. Martin steht neben mir, und seine grossen braunen Augen schauen mich besorgt an. Ich sehe zu ihm hoch.

»Ich schaffe es, Martin«, sage ich. »Aber wir müssen langsamer gehen.«

»Du bestimmst das Tempo«, sagt er, »wir haben Zeit«.

Also mache ich kleine langsame Schritte. Auch im linken Knie schmerzt es sehr, wenn ich beim Steigen das Gewicht auf das linke Bein lege. Ich muss versuchen, fürs Steigen vor allem das rechte Bein zu nehmen und das linke nachzuziehen. Mir wird sehr warm. Ich ziehe die Jacke aus, breite sie über einen grossen glatten Stein und lege mich darauf. Nur für ein paar Minuten. Ich fühle, wie mein Rücken sich entkrampft. Die Welt hinter meinen geschlossenen Lidern ist sehr hell. Ein Schatten, das muss Martin sein. Ich öffne die Augen. Er sieht liebevoll und etwas ängstlich auf mich herab.

»Ich stütze dich, Sophie«, sagt er.

Ich murmle: »Ich schaffe es schon.«

»Bestimmt schaffst du es«, sagt Martin, »aber ist es nicht weniger schlimm, wenn ich dich dabei stütze?« Damit hat er recht. Ich lasse mir von ihm beim Aufstehen helfen; fast falle ich noch einmal hin, aber er fängt mich auf. Dann gehen wir langsam weiter den Berg hoch, er stützt mich Schritt für Schritt. Jetzt ist es nicht mehr so schrecklich. Er hält Ausschau, er zeigt mir, wo ich hintreten kann. Doch auch so ist dieser Weg nach oben äusserst anstrengend, und auch so pocht mein Herz und ich höre meinen Atem rasseln. Manchmal sucht mein Blick, ob die Baumwipfel nicht verraten, dass die Spitze des Hügels bald erreicht ist. Stufe für

Stufe, Schritt für Schritt kämpfe ich mich höher. Martin stützt mich und wenn ich rutsche, falle ich nicht hin, denn dann hält er mich.

Auf einmal sind wir oben. Dieses »Oben« ist eine überschaubare Fläche, bedeckt mit niedrigen roten Preiselbeersträuchern. Schwarz-weisse Granitstücke, etwa so gross wie Menschenköpfe, liegen verstreut. Es windet. Ich schaue zu Martin. Er verzieht etwas den Mund. Ich gehe ein paar Schritte vorwärts; es ist so angenehm, nicht mehr steigen zu müssen. Wir überqueren die Kuppe des Hügels. Wir gehen langsam. Ich ziehe meine Jacke wieder an; der Wind kühlt. Dann stehen wir am Rand der Kuppe und blicken nach unten. Der weite Wald unter uns besteht vorwiegend aus Nadelhölzern. Nur ganz vereinzelt glänzen rote Birken zwischen den dicht stehenden bläulichen Föhren. An einer Stelle ist ein grosses Rechteck in den Wald hineingeschnitten worden. Ein flaches Gebäude mit flachem Dach ist zu sehen. »Ein Helikopterlandeplatz«, sagt Martin, der meinem Blick folgt.

Vor diesem Gebäude laufen in die Richtung des Hügels, auf dem wir stehen, parallel etwa dreihundert Meter lange metallene Streifen, die in der Sonne glänzen. Martin macht mich auf einen fast unsichtbaren Zaun aufmerksam, der die Anlage umfängt und weit in den hinter dem Gebäude liegenden Wald hineinführt.

»Da drin ist x«, sagt Martin. »Da müssen wir hinein.«

21.

Ich schlucke, greife nach seiner Hand, zum Zeichen, dass ich den Abstieg beginnen will.

Der Weg zum Fuss des Hügels ist nicht so schlimm wie der Weg hinauf. Ich setze einen Schritt vor den anderen. Martin hält mich. Ich sehe sogar Föhrenzapfen, Nadeln, trockene Birkenblätter, die sich auf dem kahlen Pfad, den wir hinabsteigen, befinden. Ich nehme die Sanftheit der zarten roten, von der Sonne durchschienenen Blätter an den schwarzen Zweigen wahr und die Bläue des Himmels.

Dann sind wir unten. Eine dürre Heide erstreckt sich vor uns; farblose Gräser, einige unterschiedlich grosse Föhren wachsen hier. Ein Steg – zwei nebeneinandergelegte, dicke, graue Bretter, die auf quergelegte Bretter genagelt sind – führt hindurch. Offenbar ist der Boden hier früher nass gewesen. Wir gehen vorwärts auf dem Steg, wir gehen nebeneinander, aber Martin muss mich nun nicht mehr stützen. Unsere Sicht wird von einer schwarzen Mauer am Horizont begrenzt. Der Steg führt auf ein weisses Rechteck zu, das die schwarze Fläche unterbricht. Ich schaue zu Martin auf. »Das ist das Tor«, sagt er. »Das Eingangstor.«

Langsam kommen wir dem Tor näher. »Wenn wir vor dem Tor sind«, sagt Martin, »musst du sagen, du willst Arbeit«.

»Hat es eine Klingel?«, frage ich.

»Ja«, sagt er.

»Bist du schon mal dringewesen?«

»Ja«, sagt er. Er ist ernst. »Ich habe am Tor gesagt, dass ich eine Reportage schreiben will.«

»Und dann?«, frage ich. Sein Gesichtsausdruck beunruhigt mich.

»Das Tor hat sich geöffnet. Aber ich denke, x hat mit mir gespielt. Ich bin bald wieder draussen gewesen.«

Ich frage nicht, wie es war, da drinnen, ich werde es ja in Kürze sehen. Ich frage etwas anderes – diese Frage bedrückt mich, nachdem ich soeben die schwarze Mauer gesehen habe; beim Näherkommen erkenne ich, dass sie aus Stahl ist: »Du kommst doch mit, Martin?«, frage ich.

Er nickt und berührt leicht meine Schulter. »Es ist *mein* Plan. Es ist *meine* Aufgabe.« Er atmet aus und wieder ein. »Ich muss das noch erledigen. Ich muss das noch in Ordnung bringen. Ich ... ich ... wenn du dabei bist, bin ich einfach nicht allein.« Ich lächle ihn an. Er ist aufgewühlt. Ich sehe das nicht nur seinem Gesicht an. Sein Rücken zuckt.

»Wir bringen es in Ordnung. Wir machen es zu zweit.« »Ja«, sagt Martin. Er lächelt jetzt auch. Er nimmt meine Hand. »Zu zweit schaffen wir es«, sagt er.

Wenige Meter vor dem weissen Tor endet der Steg. Zwei Schritte noch, dann lasse ich Martins Hand los und gehe allein auf die Türe zu. Während ich gehe, zischt mir nochmals rasch durch den Kopf, was ich heute erlebt habe: das Frühstück, das seltsame Mittagessen, bei dem über Sweatshops gesprochen wurde, die Fahrt, der furchtbare Aufstieg auf den Hügel. Ich stehe vor der weissen Türe. Sie ist aus Stahl, glatt und weiss gespritzt und hat in der Mitte eine fast unmerkliche Rille. Das ist wie bei einer Lifttüre, denke ich, genau da wird sie sich öffnen. An der rechten Seite ist eine (ebenfalls weiss gespritzte) Gegensprechanlage angebracht. Ich schlucke, dann drücke ich auf den Knopf. Ich warte. Ich schiebe meinen Jackenärmel hoch und schaue auf die Uhr. Nach einer Minute drücke ich nochmals auf den Knopf. Nach dreissig Sekunden raschelt es im Lautsprecher. Eine Stimme sagt: »Ja?« Was soll ich sagen? Ich erinnere mich an Martins Anweisung und sage nach einer winzigen Pause: »Ich möchte Arbeit!«

»Ich brauche niemanden!«, höre ich die Stimme sagen.

Die Antwort verärgert mich. »Ich will aber bei Ihnen arbeiten!«, rufe ich. Ich bin selber erstaunt, dass ich mich ärgere, weil x meint, er brauche mich nicht.

»Ich brauche niemanden«, wiederholt die Stimme. »Sie!«, rufe ich, »Sie brauchen mich!« Und ich haue mit der rechten Faust gegen die Stahltüre. »Sie brauchen mich! Ich kann viel!« Ich warte. Die Hand, mit der ich gegen die Türe geschlagen habe, tut weh. Wir warten.

Unvermittelt stöhnt die Stimme, sie räuspert sich, dann spricht sie langsam: »In Ordnung. Du kannst reinkommen.«

Die Türe schiebt sich langsam auseinander, ich gehe auf sie zu, ich spüre Martin hinter mir, ich gehe hindurch und spüre die beiden Teile der Türe an meinen Armen, weil sie sich nur wenig geöffnet hat. Da schlägt sie zu, sie klemmt noch einen Zipfel meiner Jacke ein. Martin ist draussen, und ich bin drinnen.

»Martin!«, rufe ich. Ich schlüpfe aus meiner Jacke, die nun sinnlos herunterhängt (von innen ist das Tor nicht weiss sondern schwarz wie die Mauer).

Ich höre seine Stimme verzerrt: »Sophie! ... Sophie!« Ich stehe da, im Pullover, vor dieser Türe, an der meine Jacke hängt, und draussen ist Martin, dessen Ziel es ist, hier hereinzukommen – und er kann nicht hereinkommen. Ich höre ihn nochmals »Sophie!« rufen. Seine Stimme ist entstellt durch die Stahltüre, und doch höre ich, wie verzweifelt er ist.

»Martin«, rufe ich, »warte auf mich! Ich schaffe es allein, ich schaffe es für dich, aber warte auf mich!« Er sagt nichts. »Martin, hörst du mich?«

»Ja«. Seine Stimme ist leise.

Ich lehne mit der Stirne gegen die kalte schwarze Türe. »Ich gehe jetzt, Martin.« Und da er nicht antwortet, rufe ich: »Ich denke immer daran, dass du auf mich wartest.« Ein ganz feines Zittern an der Türe. Wahrscheinlich hat er dagegengeschlagen. Schliesslich vernehme ich: »Ich warte.«

»Danke!«, sage ich, so laut ich kann. Ich wende mich um und schaue nach vorne.

Was von oben wie metallene Streifen ausgesehen hat, sind scheinbar endlose Reihen von überdachten metallenen Gitterkäfigen. Dazwischen, weit vorne, liegt das Gebäude, in dem ich x finden werde.

Ich ziehe an meiner Jacke, doch das Tor hält sie fest. Es ist sonnig, aber nicht warm, und ich muss jetzt ohne Jacke zu x gehen, der mir Arbeit geben wird. Ich verschränke meine Arme und gehe zwischen zwei Metallkäfig-Reihen durch. Sie sind in rechteckige Fächer eingeteilt. Darin bewegen sich kleine Tiere: Wiesel? Marder? Es stinkt, und die Tiere fiepen unaufhörlich. Ich gehe weiter. Ich gehe und gehe, ich höre die Tiere, und auch wenn ich stur vorwärtsschaue, sehe ich aus den Augenwinkeln, wie sie sich ständig bewegen. Alle Käfigreihen enden vor dem Gebäude.

Das Haus erscheint mir sehr gross. Es wird durch vorspringende vertikale Betonträger gegliedert. Im oberen Stock hat es zwischen diesen Betonträgern zurückgesetzte grosse Fenster in grauen Rahmen, im unteren

Stock ist auf der zurückgesetzten Ebene nur die glatte Betonwand ohne jedes Fenster. Ich stehe vor dem Gebäude, die Käfigreihen sind hinter mir, ich spüre sie, aber ich will mich auf das Haus vor mir konzentrieren: Wo ist eine Türe?

Dann sehe ich sie. Zwischen den beiden zentralen Betonträgern ist die graue Fläche nicht ganz glatt. Ich gehe darauf zu. Ein Türknauf. Am Betonträger daneben die Gegensprechanlage, die zu erwarten war. Ich löse meine Arme voneinander und schaue auf den Klingelknopf. Es fröstelt mich; wenn ich nach hinten schauen würde, wäre die Sonne wohl untergegangen. Ich drücke auf den Knopf.

Die bekannte Stimme sagt sofort: »Ja?«

»Ich bin jetzt da«, erkläre ich. »Sie haben mir das hintere Tor geöffnet. Ich bin da, um hier zu arbeiten.«

Sofort sagt die Stimme: »Ich brauche niemanden.«

Die Antwort macht mich wütend. Ich erinnere mich, dass Martin gesagt hat, x habe mit ihm gespielt. »Ich will Arbeit!«, wiederhole ich laut. »Ich kann sehr gut arbeiten! Sie brauchen mich!«

»Ich brauche dich?«, fragt er zurück. Die Stimme tönt ironisch. Möglicherweise bilde ich mir das nur ein. Vielleicht sieht er mich. Ich wende den Kopf, suche nach einer Kamera, die auf mich gerichtet ist, finde keine, weiss aber, dass dies nichts zu bedeuten hat. »Lassen Sie mich hinein, Sie können mich gut brauchen!«, wiederhole ich.

»In zehn Minuten«, sagt die Stimme langsam, »in zehn Minuten lass ich dich herein.«

Ich lehne mit dem Rücken gegen den kalten Betonpfeiler, ich verbiete mir, jetzt die Augen zu schliessen. Ich schaue auf meine Armbanduhr. Ich will nicht die Augen schliessen, weil ich sonst wahrscheinlich einschlafen würde; ich fühle eine ungeheure Müdigkeit in mir. Ich will ihr nicht nachgeben. Ich schaue auf meine Uhr. Auch nachdem zehn Minuten vergangen sind, öffnet x nicht. Soll ich nochmals klingeln? Ich weiss, dass ich hier draussen, bei diesen unendlich vielen eingesperrten Tieren – ich rieche sie, ich höre sie – im Dunkeln in einer aussichtslosen Lage bin. Ich bin noch schlimmer dran als Martin, der ausgesperrt worden ist. Er kann zum Auto zurück und dort übernachten. Ich lehne gegen den Betonpfeiler und schaue mit weit aufgerissenen Augen auf den gegenüberliegenden Pfeiler. Von Zeit zu Zeit sehe ich auf die Uhr – ich fixiere den dünnen Zeiger, der sich hastig und ruckartig bewegt (ein Zeichen dafür, dass die Batterie bald am Ende ist), und den grossen, langsamen.

Nach weniger als einer Viertelstunde höre ich ein starkes Summen, ich stürze mich nach vorne auf den Türknopf. Ich stosse, und die Türe geht tatsächlich auf. Ich befinde mich in einer hellen, weiss gestrichenen Halle, die seltsamerweise einen Parkettboden hat. Natürlich ist sie fensterlos, das Licht stammt von vielen an den Wänden und an der Decke befestigten Spots. Mitten im

Raum ist – wie ein weisser Kasten – eine Treppe. Ich starre kurz auf das Muster der ansteigenden Zickzacklinie, das die Stufen bilden, bis mir klar wird: Ich muss hier hinauf. Ich halte mich am Geländer fest und ziehe mich hoch.

Die Treppe führt mitten in eine erleuchtete Halle. Wände und Decken sind weiss gestrichen, und durch die vielen hohen Fenster wird die blaue Nacht präsent. Ich drehe mich, ich schaue mich um. Ich stehe oben am Treppenabsatz und blicke nur auf dunkelblaue, leere Fenster an einer kahlen Wand. Aber wenn ich mich um hundertachtzig Grad drehe, sehe ich, erhöht, verschiedene Schreibtische, auf denen Computer stehen, Monitore, daneben ein grosses Kontrollpult, dahinter Regale; eigentlich ist es eine ganze, weisse Bürolandschaft. Am zentralen Schreibtisch sitzt ein Mann. Ich kann ihn nicht erkennen, da keine der Lampen auf ihn gerichtet ist – ich hingegen werde von Scheinwerfern angestrahlt

Er sagt ein Wort, sagt: »Komm!« Ich erschrecke; ich kenne diese Stimme. Ich gehe auf ihn zu, stehe unterhalb der Plattform, auf der sein Schreibtisch steht, und schaue zu ihm hoch. Jetzt erkenne ich ihn.

Wie eine Welle steigt das Grauen in mir hoch: x ist Kaspar. Natürlich ist er nicht Kaspar – wie käme Kaspar in den Roten Norden? Der Mann, dem ich gegenüberstehe, sitzt im Rollstuhl und hat eine andere Brille als Kaspar, aber er sieht aus wie Kaspar, und seine Stimme –

nun unverzerrt – ist die von Kaspar. Er hat eben ein zweites Mal »Komm!« gesagt; seine Stimme ist Kaspars Stimme. Er hebt die Hand, auch seine Bewegungen sind die von Kaspar.

Er spricht wieder. Er sagt: »Du willst arbeiten? Was kannst du denn?«

Ich blicke in sein faltiges Gesicht, das ich so gut kenne, und sage: »Ich kann gut in der Küche arbeiten.« Die letzten zwanzig Jahre hat er mich, insbesondere vor Besuchern, dafür gelobt. Ich spüre die Müdigkeit in meinen Armen und Beinen, in meinem Körper, und ich wiederhole noch einmal: »Ich bin gut in der Küche.«

Er verzieht den Mund (nur die rechte Seite, wie bekannt mir das doch ist) und weist mit der linken Hand auf eine Tür in der fensterlosen weissen Querwand der Halle: »Wenn du durch diese Türe gehst, wirst du die Küche finden. Ich schlage aber vor, dass du die Treppe hinabgehst, die du heraufgekommen bist. Unten gibt es einen Raum für Besucher. Du kannst morgen mit der Arbeit anfangen.«

»Danke«, murmle ich. Ich drehe mich um, ich spüre, dass er mir nachsieht, wie ich zur Treppe gehe, und versuche, aufrecht zu gehen. Ich halte mich am Treppengeländer und taste mich Stufe für Stufe nach unten, denn nun ist die untere Halle nicht erhellt. Als ich am Fuss der Treppe bin, schaltet sich das Licht ein, und eine weisse Türe springt auf. Es ist das Zimmer für Besucher, in das ich trete. Fensterlos und weiss ist es; ich sehe einen Tisch, einen Stuhl, ein Bett, eine Nasszelle. Ich lasse die Türe zur Halle einen Spalt offen, weil mich die Enge und die mögliche Luftlosigkeit dieses Raums ängstigen, ich ziehe die Schuhe aus, lege meine Brille auf den Tisch. Ich lege mich auf das Bett, decke mich zu und schlafe unmittelbar darauf ein.

22.

Als ich erwache, wird der Raum nur noch durch die kleine Leuchtstoffröhre in der Nasszelle erhellt. Ich rapple mich hoch. Ich fühle mich wie zerschlagen. Vor dem Lavabo erkenne ich nach einem Blick auf die Uhr, dass es bereits neun ist. Ich sollte doch arbeiten! Ich schaue in den Spiegel oberhalb des Lavabos. Ich sehe furchtbar aus. Aber da ist nichts zu machen. Ich wasche die Hände mit Seife, kämme die Haare mit den Fingern. Ich ziehe die Schuhe an; meine Füsse sind geschwollen. Ich erwäge, in Strümpfen nach oben zu gehen, verwerfe aber diesen Gedanken wieder. Dann schiebe ich die Zimmertüre weit auf, damit ich erkennen kann, wo die Treppe nach oben ist. Doch die Treppe lässt sich gut lokalisieren, da dringt Licht von oben herunter. Ich steige sie hoch, jeder Schritt tut weh, und oben an der Treppe drehe ich mich um.

Ich habe x erwartet, habe erwartet, dass x da sitzt, wo er gestern gesessen hat. Doch der helle grosse Raum ist leer. Auch gut. Nein, besser so. Ich wende mich nach rechts. In diese Richtung hat er gestern gezeigt: Dort liege die Küche. Ich finde die Türe in der weissen Wand und öffne sie. Nicht die Küche befindet sich dahinter, sondern eine weitere grosse helle Halle. Im Zentrum dieses Raums steht ein langer ovaler Tisch mit Stühlen. Unter den Fenstern befinden sich lange Beistellmöbel. Ist das ein Esszimmer? Ein Konferenzraum? Auf der gegenüberliegenden Seite des Raums erkenne ich eine weitere Türe. Aber auch sie führt nicht in eine Küche, sondern in einen hellen, leeren Zwischenraum, dem auf beiden Seiten je ein hohes Fenster Licht gibt. Von den drei Türen an der gegenüberliegenden Wand sind zwei beschriftet: die mittlere trägt das Schild *garde-manger* und die linke Türe ist mit *cuisine* beschriftet. Warum französisch? Merkwürdig, aber immerhin sind das Wörter, die ich – im Gegensatz zu der Sprache des Roten Nordens – verstehen kann, und so gehe ich auf die linke Türe zu und öffne sie.

Ich pralle zurück. Die Küche ist nicht hell, wie ich erwartet habe, sie ist schwarz und von einem ungeheuren Summen erfüllt. Das einzige Fenster des Raums ist mit einem Fliegenteppich bedeckt, sodass kaum Licht in die Küche dringt. Die Helligkeit, die durch die geöffnete Türe in den Raum hineinfliesst, lässt mich erkennen, dass auch in der Luft grosse Fliegen sind. Ich schliesse die Türe hastig, einige der Fliegen haben mich beinahe schon erreicht. Nachdem ich die Türe geschlossen habe, ist dieses ungeheure Surren verschwunden, aber ich weiss: Sobald ich die Türe öffne, geht es weiter. Mein Magen revoltiert. Mir wird bewusst, dass ich schon lange nichts mehr gegessen habe.

Ich öffne zögernd die nächste Türe, an der das Schild *garde-manger* angebracht ist. Keine Fliegen. Elektrisches Licht, das anspringt, sowie die Türe geöffnet wird. Ich sehe Regale, gefüllt mit Konservendosen, und mehrere Tiefkühltruhen. Ich schaue mich nach etwas um, was ich essen könnte – schliesslich kann ich die Dosen ja nicht mit den Fingernägeln öffnen. Endlich finde ich Schachteln mit Zwieback und Dutzende Flaschen mit Mineralwasser.

Eine Flasche Wasser und eine Schachtel Zwieback nehme ich unter den Arm; ich schliesse die Türe, gehe durch den Vorraum zurück in den Konferenzraum und setze mich an den langen Tisch. In einem der Beistellmöbel befinden sich Gläser. So sitze ich ganz allein am Konferenztisch und frühstücke. Ich denke nach. Ich stehe auf, hole mir eine zweite Flasche und eine zweite Zwiebackpackung, setze mich wieder. Ich muss das Problem, das mir die Küche stellt, lösen. Und Martin wartet draussen. Eigentlich weiss ich nicht einmal, was er hier bei x erledigen wollte, was es war, wobei ich ihm helfen sollte. Was ich weiss, ist, dass die Küche mit Hunderten (oder sind es Tausende?) von Fliegen angefüllt ist. Ich schaue auf meine geschwollenen Hände. Wenn ich den

Ehering abziehen könnte, würde ich es tun, doch er steckt fest.

Wenn ich ein Blatt Papier hätte, würde ich mir Notizen machen. (Wie soll ich vorgehen? Was ist mein Problem?) Aber meine Handtasche ist ja im Auto, und das ist weit weg. Nachdem ich zwei Schachteln Zwieback gegessen habe, fühle ich mich etwas besser. Ich beschliesse jetzt, die Küche in den Zustand einer üblichen Küche zu versetzen. Aber wie? Ich erinnere mich daran, dass ich vor ein paar Tagen die Fruchtfliegen in Tante Sophies Küche bekämpft habe, und lächle.

Ich schliesse die Augen. Ich sehe mich in der kleinen alten Küche mit den verdreckten Konfitüregläsern hantieren. Ich bin zuversichtlich gewesen, damals. Wenn ich an die Küche denke, die ich jetzt säubern soll, bekomme ich Angst. Ich habe gedacht, dass ich Kaspar entronnen sei, dass ich ihn hinter mir gelassen habe, im Roten Norden. Aber hier ist er wieder, und nun noch mächtiger und gewaltiger. Und die Möwen kommen mir in den Sinn, die Möwen im Hotel in Imalo, die geflogen sind und dabei doch nie von der Stelle gekommen sind. Ich stehe auf. Es bringt nichts, das Öffnen jener Tür weiter aufzuschieben. Ich lasse Schachteln, Glas und Flaschen auf dem Tisch stehen, ich werde beide Hände brauchen, wenn ich in der Küche bin.

Ich öffne die Küchentüre nur einen Spalt, nur so viel, dass ich mich hineinschieben kann, und schliesse sie wieder. Die Küche ist noch finsterer als ich erwartet habe, und angefüllt mit diesem dunklen Summen. Überall sitzen die Fliegen. Ich schliesse die Augen. Ich merke, dass die Fliegen auch auf mir sind, ich gehe zum Fenster vor und versuche, es zu öffnen. Es lässt sich nicht öffnen.

Ich zerre und rüttle am Fenstergriff, der Geräuschpegel der ununterbrochen zeternden Fliegen wird, scheint mir, immer höher; meine Hände, die ich durch die halbgeöffneten Lider sehe, sind schwarz von Fliegen, auf meinen Wangen spüre ich sie, sie kriechen unter die Brille. Plötzlich schaffe ich es, das Fenster mit einem Ruck zu öffnen. Die Fliegen erheben sich als Wolke von den Fensterflügeln und stehen in der Luft. Aber sie bleiben in der Küche; ich lehne mich aus dem Fenster, wische mir mit den Händen übers Gesicht, nehme die Brille ab und fahre mir über die Augen. Ich setze die Brille wieder auf und erkenne den dichten Kiefernwald, den ich schon gestern von der Kuppe des Hügels aus gesehen habe. Ein Streifen von etwa dreissig Metern ist zwischen dem Haus und dem Wald gerodet. Und über dem Wald ist der Himmel wieder blau, wie er gestern war und vorgestern, wie er offenbar fast immer ist im Roten Norden. Ich öffne die Fensterflügel weit, damit frische Luft in die Küche strömt; ich sehe nun deutlich, dass überall, überall Fliegen sitzen, Fliegen summen in der Luft, und der Küchenboden ist bedeckt mit toten, reglosen Fliegen.

Ich sitze auf dem Fensterbrett, lehne mich so weit es geht nach draussen und betrachte diese Küche. Sie ist schwarz. Sie ist nicht nur wegen der Fliegen schwarz, sondern weil ein Designer eine schwarze Küche eingerichtet hat. Die Unterschränke sind schwarz, die Oberschränke sind schwarz – es ist ein stumpfes Schwarz –, die Griffe und die Abdeckungen sind silbergrau. Ich schiebe mit dem Fuss tote Fliegen beiseite und entdecke, dass der Küchenboden auch schwarz ist, allerdings glänzend schwarz. Diese toten Fliegen … Ob ich da nicht etwas tun könnte? Ich inspiziere von meinem Platz am Fenster aus die einzelnen schwarzen Schränke, mein Hausfrauenwissen sagt mir, dass sich in einem dieser Schränke möglicherweise ein Staubsauger befindet. Ich gehe vom weit offenen Fenster auf diese Schränke zu (jetzt erst bemerke ich, wie sich die toten Fliegen unter meinen Schuhsohlen anfühlen); und öffne einen Schrank nach dem anderen. Im letzten (warum ist es immer die falsche Reihenfolge, denke ich) steht tatsächlich ein grosser weisser Staubsauger; seine glatte Oberfläche reflektiert das Licht. Es sind auch Staubsaugerbeutel in (noch unberührten) Kartonschachteln vorhanden und Müllsäcke in grossen Rollen. Zumindest den Boden kann ich also säubern.

Ich finde die Steckdose sofort und mache mich daran, den Boden zu saugen. Was für ein wundervoller Staubsauger! Er arbeitet leise und effizient; mir scheint, als polierte er gleichzeitig noch den Küchenboden, als ich beim Fenster angelangt bin und zurückblicke, spiegeln sich die Küchenmöbel in den glänzenden Fliesen.

Ich drehe nun den Saugfuss ab und reinige mit dem Rohr die Sohlen meiner Schuhe. In den Rinnen des Sohlenprofils stecken gequetschte tote Fliegen, die der wunderbare Staubsauger mit starkem Zug entfernt.

Am offenen Fenster stehe ich und schaue auf mein Werk, den gereinigten Küchenboden; doch viele, viele Fliegen kreisen immer noch durch die Luft, sitzen an den Wänden. Ich habe den Staubsauger nicht ausgeschaltet, damit sein Gebläse das Brummen der Fliegen übertönt.

Da entdecke ich etwas: Die Fliegen, die unterdessen wieder auf dem Fussboden herumkrabbeln (sogar sie, so winzig sie auch sind, spiegeln sich), werden, sobald sie sich in der Nähe des silbernen Rohres befinden, einfach in den Staubsauger hineingesogen. Ich starre auf diese Erscheinung – auf Fliegen, die in eine unsichtbare Bahn gerissen werden. Martin, denke ich, ich schaffe es vielleicht doch. Ich hole neue Staubsaugerbeutel, binde den vollen Beutel sofort in einen Müllsack und beginne erneut mit der Arbeit.

Nach mehr als einer Stunde sind die Fliegen verschwunden. Ich bin erschöpft. Doch die glatten Flächen sind noch voll Fliegendreck.

Ich schrubbe und reibe und putze; in den Schränken sind genügend bunte Plastikflaschen vorhanden, die versprechen, die Küche blitzsauber zu machen (auf einer Flasche lese ich sogar das Wort »Zitronenfrische«), auch eine Bockleiter aus Aluminium finde ich in einem der Schränke. Mit ihrer Hilfe kann ich die Oberschränke reinigen. Irgendwann – ich habe das Gefühl für die Zeit verloren – sind alle Oberflächen in der Küche sauber. Meine Hände fühlen sich seltsam taub an, meine Füsse und mein Rücken schmerzen. Ich habe nur einen Wunsch: Ich möchte mich hinlegen. Unten ist dieses Besucherzimmer … Da ist ein Bett …

Die Küche sieht nun wie ein Bild aus einem Prospekt aus. Ich kann mich also entfernen. Ich schliesse die Küchentüre und gehe zurück; ich will mich hinlegen. Ich gehe auf die Treppe zu, die nach unten führt, bin bereits an der Treppe – da höre ich seine Stimme: »Halt!«

Er sitzt oben, wie gestern, und schaut auf mich herab. »Ich habe Hunger!«, sagt er.

Ich kenne diesen Ton. Er drückt aus, dass ich fehlerhaft bin. Ich versuche, sein Gesicht zu erkennen, es ist nicht möglich, da er mit dem Rücken zum Fenster sitzt. Ich schaue dahin, wo ich weiss, dass sich sein Gesicht befindet. »Ich kann nicht«, sage ich und verspüre ein ganz grosses Wundern in mir, dass ich so etwas sage. »Ich habe die Küche geputzt. Ich muss mich hinlegen.«

»Eine Stunde gebe ich dir«, sagt er. Und ich nicke und wiederhole: »Eine Stunde«, dann humple ich die Treppe hinab. Auf dem Tisch im Besucherraum steht ein Wecker, den ich gestern nicht bemerkt habe. Ich stelle ihn. Dann schlafe ich sofort ein.

23.

Der Wecker schreit. Ich rapple mich hoch. Es muss acht Uhr morgens sein. Ich sitze auf dem Bett des schwach erhellten kleinen Zimmers und denke nach: Ich habe gestern für x gekocht. In der schwarzen Küche hatte es nicht nur einen Glaskeramikherd, sondern auch einen Backofen mit kombinierbarer Mikrowelle, und diese Mikrowelle hat eine »Auftaustufe« … So habe ich Kalbsschnitzel aus der Tiefkühltruhe nebenan in einen verwendbaren Zustand gebracht; den Rest des Menus zu kochen, war unproblematisch. Wir sind einander gegenübergesessen beim Abendessen, das heisst, er ist am einen Ende des Konferenztisches gesessen, mir hat er den Platz am anderen Ende, den in der Nähe der Küche, zugewiesen. Er hat verboten, dass ich Licht anmache, obschon es Abend war, und er ist wieder als Schatten erschienen. Natürlich habe ich ihn, als ich das Essen auf- und abgetragen habe, etwas genauer sehen können: Er sitzt im Rollstuhl, er trägt eine eckige Brille statt einer runden ...

Er hat gesagt, er wolle mich am nächsten Morgen um neun Uhr sehen. Ich habe das Geschirr in die Küche getragen, ich habe alles in Ordnung gebracht; wie ich wieder in den Konferenzraum gekommen bin, war er weg. So war das gestern. Und jetzt ist heute. Ich dusche und ziehe dann wieder die alten Kleider an. Ich weiss immer noch nicht, was Martin hier eigentlich vorgehabt hat. Ich weiss nicht, was sein Ziel war. Ich halte mich daran fest, dass er gesagt hat, er brauche mich, ich könne ihm bei x (gegen x?) helfen.

Ich gehe die Treppe hoch ins Helle. x ist nicht da, das ist gut, um neun Uhr wird er da sein. In der Küche mache ich mir etwas zu essen; die mattschwarze Kaffeemaschine, die ausgezeichneten Kaffee produziert, habe ich gestern übersehen, so gut ist sie optisch in die Küche integriert. Ich verlasse eine aufgeräumte Küche und bin kurz vor neun in der zentralen grossen Halle. x ist da, wo ich ihn erwartet habe.

Am Vormittag kann man sein Gesicht besser erkennen. Das hängt mit den Lichtverhältnissen zusammen. »Komm her«, sagt er.

Ich stelle mich vor ihn hin; da sein Büro sich auf einer Plattform befindet, muss ich zu ihm hochschauen. Ich blicke in die eckige Brille, die Augen kann ich jedoch nicht sehen.

Er sagt: »Ich habe einige Tiere erschossen. Hol sie raus!«

Ich verstehe ihn nicht. Ich frage: »Wie bitte?« Wie soll das möglich sein, wie stellt er sich das vor?

Er weist angewidert auf einen der Apparate: »Damit natürlich!«

Ich verstehe immer noch nicht. Und so erklärt er, dass er früher einmal begeisterter Jäger gewesen sei. Und dass er jetzt, da er nicht mehr im Wald jagen könne, sich das Recht auf diese Freude nicht nehmen lasse. Seine rechte Hand liegt auf der Computermaus, mit der linken winkt er mich zu sich. Es ist eine hohe Stufe zu bewältigen; ich wuchte mich hoch Er macht das wohl mit einem Lift, aber für mich gibt es keinen Lift. Dann stehe ich neben ihm. Er zeigt auf einen der grossen Bildschirme vor ihm. Ich sehe Wald, Kiefernwald, seine Hand, die auf dem Pult liegt, bewegt die Maus, und auf dem Bildschirm verändert sich die Perspektive. Es ist, als würde man im Tannenwald herumspazieren. Die Baumstämme sind leicht bemoost, der Boden scheint mit Nadeln bedeckt.

»Da!«, sagt der Mann neben mir. Hinten im Bild bewegt sich etwas. Ich schaue genauer hin: Es ist ein Reh – oder ein Rentier … wir sind ja im Roten Norden. x bewegt die Hand mit der Maus; seine Bewegung kratzt etwas auf der Tischfläche. Auf dem Bildschirm wandert ein weisses Kreuz hin und her. Es findet das Reh – das Rentier, er kreuzt es durch.

»So geht das«, sagt er, »ich müsste jetzt nur den Knopf drücken, aber das lasse ich, ich habe ja heute meinen Spass gehabt.« Er schaut nach oben, blickt mich an, zwinkert. »Du sollst die beiden holen, die ich heute früh erschossen habe. Es ist nicht gut, wenn sie vergammeln.«

Ich fange an zu verstehen. Ich weise auf den Bildschirm und sage: »Das« – und jetzt zeige ich auf das Fenster hinter mir – »ist das?«

»Endlich!« sagt er.

»Es ist eingehagt«, sage ich, und ich merke, wie jämmerlich eifrig meine Stimme tönt, »die Tiere können gar nicht weg, du hast sie eingeschlossen, und dann erschiesst du sie mit deinem Computer?«

Er sagt: »Bravo!«

Ich kenne diesen Ton. Er bedeutet soviel wie »Sogar jemand Dummes wie du hat es schliesslich kapiert!« Ich starre immer noch auf den Bildschirm. Das Reh oder Rentier ist unterdessen unter dem Mauszeiger weggeschritten. Wie ist das möglich, dass man so auf Entfernung töten kann? Aber wieso eigentlich nicht? Mit dem Kaspar, den ich gekannt habe, habe ich im Fernsehen Filme gesehen, in denen Männer durch Zielfernrohre, die an Gewehren befestigt waren, geschaut haben, und wenn das, was sie erschiessen wollten, im Zentrum des Fadenkreuzes war, haben sie geschossen. Das Reh oder Rentier ist jetzt ausserhalb des Bildschirms, aber das bedeutet nichts. Es ist eingeschlossen.

»Ich habe keinen Mantel, keine Jacke«, sage ich.

»Unten gibt es eine Garderobe«, antwortet er. »Du findest, was du brauchst. Auch Schuhe.«

Ich nicke. Ich setze mich an die Kante seines Podestes, lasse die Beine hängen und mich dann hinabgleiten. Es sieht sicher plump aus. Ich weiss, dass ich schwerfällig aussehe. Ich gehe die Treppe hinab. Neben dem Zimmer, in dem ich übernachte, springt eine weisse Türe auf. Es ist eine Art begehbarer Schrank, Mäntel, Jacken, Hosen hängen da an Bügeln; auch Stiefel in verschiedenen Grössen stehen da. Ich wähle eine warme braune Steppjacke und ein paar Stiefel, die passen.

Erst als ich draussen stehe, dringen die langen Reihen der Käfige wieder in mein Bewusstsein. Wie habe ich sie vergessen können? Ich mache einige Schritte auf die Käfige zu, blicke in den vordersten hinein. Vier kleine Tiere bewegen sich unaufhörlich in einem kleinen vergitterten Kubus. Sie schreien, sie steigen am Gitter hoch. Ob sie frieren? Ich höre sie alle, aber ich will sie nicht hören, ich will sie nicht sehen, ich drehe mich um, ich gehe rasch das Gebäude entlang, gehe um das Gebäude herum, überquere das grosse gerodete Gelände (womöglich schaut er mir jetzt durch das Fenster zu) und bin schliesslich im Kiefernwald, von dem ich weiss, dass ein dichter Zaun ihn einschliesst, abschliesst vom grossen Wald, der sich weiter und weiter erstreckt.

Es ist schön, im Wald zu sein, das heisst, es wäre schön, die weichen Nadeln unter den Sohlen zu spüren und den Duft der Tannen einzuatmen. Aber ich kenne jetzt das Entsetzen dieser Tiere in den Metallkäfigen. Und ich weiss, dass ich die anderen Tiere finden muss, die x geschossen hat. Wer sagt überhaupt, dass sie tot sind? Er hat auf sie geschossen. Auf dem Bildschirm sind sie zusammengebrochen. Aber das bedeutet ja nicht, dass sie tot sind. Was mache ich, wenn das Tier, das ich finde, noch lebt? Ich habe ja nicht einmal die Möglichkeit, es zu erschiessen, ich meine, ich habe keine Waffe dabei. Ich habe in meinem ganzen Leben nie geschossen. Wie käme ich dazu?

Ich gehe Schritt für Schritt durch den Wald. Ich sehe mich um. Ich gehe immer weiter. Aber ich sehe keine Tiere. Keine lebenden Tiere, keine halbtoten oder toten. Die Sonne scheint durch die Stämme. Ausser einigen roten Preiselbeerbüschen erinnert nichts an den Roten Norden, den ich erlebt habe. Die Stämme der Bäume ragen in die Höhe. Wenn ich den Kopf in den Nacken lege, sehe ich Baumkronen vor dem blauen Himmel. Manchmal stehen die Bäume zu eng zusammen. Aber meistens kann ich bequem meinen Weg gehen. Immer wieder werde ich an das, was ich auf dem Bildschirm gesehen habe, erinnert. Ich merke, dass das eingezäunte Gelände gross sein muss. Erst nach einer halben Stunde (hin und wieder habe ich angehalten, mich umgeschaut) stosse ich auf die Umzäunung. Sie ist hoch und eisern. Auf der anderen Seite geht der Wald weiter, es ist alles ein einziger grosser Föhrenwald, aber auf beiden Seiten dieses

Eisenzauns ist ein schmaler Streifen gerodet worden – den habe ich wohl auch vorgestern vom Hügel aus gesehen. Ich darf die Orientierung nicht verlieren. Ich halte an. Ich habe vorgestern gesehen, dass die ganze Umzäunung im rechten Winkel zur Behausung von x verläuft. Das heisst, wenn ich dem Zaun folge, finde ich wieder aus dem Wald. Aber meine Aufgabe ist es doch, zwei Tiere zu finden, die x geschossen hat. Vielleicht sind sie tot, vielleicht nicht. Ich habe einen schlechten Orientierungssinn. Ich weiss, dass ich einen schlechten Orientierungssinn habe. Ich will diese Tiere suchen, und ich habe Angst, dass ich den Ausweg aus dem Wald nicht finde, wenn ich den Eisenzaun verlasse, was notwendig ist, um diese Tiere zu finden.

Ich lehne mich an einen der eisernen Zaunpfosten und blicke zurück auf die rötlichen Stämme. Die Aufgabe scheint unlösbar zu sein. Zumindest für mich. Ich wüsste mir wohl auch mit einem Kompass in der Hand nicht zu helfen. Die Sonne steht jetzt höher. Ein paar Schritte gehe ich in den Wald hinein, ich möchte mich an die Wurzeln eines breiten Stamms lehnen, der etwas erhöht steht, und so noch etwas ausruhen. Ich gehe auf den Stamm zu, da ertönt ein fürchterlicher Knall; ich stehe sofort still. Ein zweiter, ein dritter folgt, ich spüre einen Luftzug, rechts an meinem Gesicht, und mir wird klar: x feuert Schüsse auf mich ab. Ich spüre, wie ich zittere. Er hat mich nicht getroffen; doch ich weiss, er trifft mit Absicht nicht, ich habe ja gesehen, wie einfach es wäre, ein Objekt mit der Computermaus zu erfassen und dann auf die rechte Taste der Maus zu drücken. Das Kreuz, dieses weisse Kreuz, befindet sich ganz in der Nähe meines Kopfes. Mir ist, als könnte ich es sehen, als schwebte es um mich herum. Mein Herz klopft so sehr, dass ich mit der Hand leicht gegen die Kehle drücke, um es zu beruhigen. Ich kann jetzt nicht zum Stamm vorgehen, wie ich beabsichtigt habe; er würde meinen, dass ich in Deckung gehen wollte. Ich wende mich um, gehe ganz gemächlich zum Zaun zurück. Ich zittere. Aber ich denke: Er kann schiessen, oder er kann es lassen. Er sieht mich. Ich kann nicht fliehen. Ich werde auch nicht fliehen. Ich lehne am Eisenpfosten, an demselben wie vorhin, und schaue auf den Wald. Lauter gerade Stämme, zwischen ihren Kronen schimmert der blaue Himmel. Ich beschliesse, am Zaun zurückzugehen. Nur so finde ich den Weg aus dem Wald. Wenn er auf mich schiesst, kann ich ihn nicht daran hindern. Wie könnte ich?

Der Weg zurück, immer dem Zaun nach, auf dem schmalen, gerodeten Streifen, ist lang. Ich bin müde. Ich denke an die beiden Tiere, die x erschossen hat. Ich habe ihnen nicht helfen können. Einmal sehe ich einen toten Fuchs. Er wollte unter dem Zaun durch. Er hat sich durchgraben wollen und scheint an etwas hängengeblieben zu sein. Sein Kopf ist unter dem Zaun verborgen. So ist er dann gestorben; er konnte offenbar nicht mehr zurück. Man sieht gut, dass das, was da liegt, ein Fuchs war; er ist wohl noch nicht lange tot, aber schon hat es Ameisen, die zu ihm hinziehen. Ich gehe und gehe. Ob Martin draussen vor dem Tor wartet?

Dann sehe ich das Ende des Waldes. Und dann liegt der Wald hinter mir. Vor mir zur Linken liegt das grosse Gebäude mit dem Flachdach (ein Helikopterlandeplatz, ich erinnere mich). Aber ich gehe am Zaun weiter. Ich will diese Tiere in den Käfigen sehen. Ich grause mich davor. Aber ich weiss, dass es ein Unrecht ist, dass ich sie habe vergessen können, dass ich sie sozusagen ausgeblendet habe. Ich höre sie, ich rieche sie, lange bevor ich sie sehe. Ob sie immer schreien, Tag und Nacht? Ob sie immer hin und her, auf- und abrennen? Wie ich an der ersten Käfigreihe bin, sehe ich, dass unter den Käfigen die Scheisse der Tiere liegt, darum stinkt es so. Ich sehe in den vordersten Käfig hinein. Ich blicke jetzt wirklich hinein, ich versuche zu erfassen, was da vorgeht. Drei dieser Tiere sind in diesem Metallgitterkubus, der etwa dreissig mal dreissig Zentimeter gross ist. Die Tiere bewegen sich seltsam simultan; sie springen gleichzeitig auf und ab, am Gitter hoch. Sie schreien. Ihre kleinen Hände umklammern das Gitter vor meinem Gesicht und lassen es los. Das Furchtbarste ist, dass sie sich so gleichmässig synchron bewegen. Im nächsten Käfig ist es genauso. Und die Käfigreihe ist so lang, je weiter sie weg ist, desto schmaler wirkt sie. Es sind viele solche Käfigreihen, nicht nur eine. Es ist grauenvoll, diesen drei Tieren zuzuschauen. Auch nach fünf Minuten, in denen ich in den einen Käfig hineingeschaut habe, hören sie nicht mit ihren stereotypen Sprüngen auf. Ich warte. Aber es ändert sich nichts. Und wenn sich etwas änderte, was wäre gewonnen? Ich glaube jetzt zu wissen, was Martin hier will.

Ich drehe mich um und gehe zum Haus zurück, zum Eingangstor. Ich mache mich darauf gefasst, wieder warten zu müssen, bevor er mich einlässt. Ich drücke auf den Klingelknopf und schaue dann auf meine Armbanduhr. Der Sekundenzeiger hat gerade einmal seine Runde gedreht, da öffnet x. Nachdem ich Mantel und Stiefel an ihren Platz zurückgebracht habe, steige ich die weisse Treppe hoch in die Halle. Wie erwartet, sitzt x auf seinem Podest zwischen Bildschirmen und Computern. Das Licht dringt jetzt wieder vor allem durch die Fenster hinter ihm, und so ist er nur als Umriss zu erkennen: Kaspars Kopf, Kaspars Schultern und Kaspars Stimme, die sagt: »Du hast versagt.«
»Ja«, sage ich.
Ich stehe vor ihm (ein recht grosser Abstand trennt uns) und schaue in Richtung seines Kopfes. Was soll ich argumentieren gegenüber dem, was er eben gesagt hat? Ich merke, dass ich zum ersten Mal diesen jahrzehntealten Gedanken so formuliert habe. Bislang habe ich all die Jahre gedacht: Was kann ich argumentieren …

»Koch etwas, ich will ein Mittagessen«, sagt nach einer Pause Kaspars Stimme, die aus Kaspars Schatten tönt.

»Ja«, sage ich.

Ich drehe mich um, gehe zur Türe rechts und höre hinter meinem Rücken noch seinen eifrig-giftigen Ruf: »In einer halben Stunde! Sonst!«

Ich kenne dieses »Sonst!«, er gebraucht es immer, um mir Schrecken einzujagen. Ich spüre das »Sonst!« im Rücken und im Hinterkopf, ich spüre es auch noch, nachdem ich die Türe zum Konferenzraum hinter mir geschlossen habe.

Ich habe gestern Fischfilets aus einer Tiefkühltruhe in den Kühlschrank gelegt. So ist es kein Problem für mich, seinen Befehl zu befolgen und ihm, eine halbe Stunde später, ein annehmbares Essen hinzustellen. Wir essen schweigend. Einmal unterbricht er das Schweigen und meint, ich sei offenbar nicht in jeder Hinsicht unfähig. Ich reagiere nicht darauf. Ich habe nie etwas gesagt.

Ich fürchte mich, während ich am unteren Ende des Konferenztisches das Essen, das ich vorher zubereitet habe, kaue. Ich fürchte mich während des ganzen Essens und ich fürchte mich, während ich das Geschirr, die Pfanne und den Topf abwasche. Ich spüre die Furcht ganz stark im Hals. Nachdem ich alles eingeräumt habe, wasche ich nochmals meine Hände, ich trockne sie und sehe, wie sie zittern. Ich lege sie vor mich auf die Tischplatte und beobachte, wie sie sich langsam beruhigen. Ich streichle die eine Hand mit der anderen. Sie können nichts dafür, dass sie dick sind und nicht hübsch. Ich werde jetzt das tun, was Martin vorhatte. Und damit müssen sich meine Hände abfinden.

Ich gehe den Konferenztisch entlang, öffne die Türe in die grosse Halle. x sitzt oben, er schreibt an einem der Computer, er schaut nicht auf. Ich stelle mich vor ihn hin und blicke hoch zu ihm. Meine eine Hand hält die andere ganz fest. Ich zittere nicht. Er ignoriert mich. Ich warte. Er ist in der besseren Position. Offenbar muss ich die Stille unterbrechen. Doch was soll ich sagen? »Ich bitte dich …« Nein, das werde ich nicht sagen. Er schreibt, ohne aufzublicken. So sage ich unversehens: »Du musst die Tiere freilassen – alle!«

24.

Ohne aufzuschauen, lacht er sein meckerndes Lachen, das ich seit so vielen Jahren kenne. »Warum sollte ich das tun?«, fragt er. »Sag mir irgendeinen vernünftigen Grund, warum ich das tun soll.«

Er blickt mich jetzt herausfordernd an, hebt dabei den Steg der Brille mit dem Mittelfinger der linken Hand etwas an, wie er es immer macht, wenn er recht hat (ich hab mir manchmal gedacht, er *glaubt* nur, recht zu haben; aber laut habe ich das nie gesagt). »Es ist nicht recht«, ich spüre, es klingt hilflos, kindisch. »Nicht recht?« Ich amüsiere ihn. »Alles, was du hier siehst, ist vollständig legal.« Er seufzt. »Vielleicht wäre es gut, einmal etwas Illegales zu machen, es wäre eine Abwechslung, nicht immer das gleiche, langweilige Zeug. Aber das hier«, er hebt seine rechte Hand wie ein römischer Triumphator, »da muss ich dich enttäuschen, ist vollständig legal.«

Ich blicke auf meine hässlichen Hände, die linke Hand umfasst die rechte, der Ehering sieht farblos aus. Es ist wie immer. Er verdreht meine Worte und bleibt der Gewinner. Aber dann blicke ich auf. Ich schaue in sein Gesicht, dort, wo die Brillengläser sind, müssen die Augen sein.

»Es ist nicht moralisch«, sage ich. Er öffnet den Mund, darum füge ich rasch hinzu: »Es ist nicht christlich!«

Jetzt lacht er los. Er prustet und schnauft »Nicht christlich!«, mein Argument freut ihn wirklich, »was meinst du denn, sei nicht christlich?«

Auf die Frage nach dem Warum habe ich mich vorbereitet. Während des Kochens, des Essens und Abwaschens habe ich darüber nachgedacht, habe mit ihm in meinem Kopf diskutiert, immer hat er »warum?« gefragt, und darauf kann ich jetzt antworten. »Es ist unrecht, Wesen, Geschöpfe, gefangen zu halten – auch wenn es keine Menschen sind.« Es tönt wie auswendig gelernt und irgendwie selbstgerecht.

Er lacht von Neuem. Das Argument macht ihm Spass. Er klopft sogar Beifall auf die Tischplatte vor ihm. »Du meinst, das sei nicht christlich?« Ich nicke, etwas verunsichert. Er strahlt: »Jesus sagt *nicht*, man solle die Gefangenen freilassen. Jesus sagt, man solle sie *besuchen*. Du *hast* sie besucht. Du darfst sie auch jederzeit wieder besuchen!« Er starrt mich herausfordernd an. Ich schweige. Er sagt noch etwas davon, dass Gott gemeint habe, die Menschen sollten sich die Erde untertan machen, Gott persönlich habe das gesagt. Ich entgegne nichts, aber ich schaue ihm in die Augen, das heisst, ich schaue in die Brille – dahinter müssen seine Augen sein. Früher wäre ich aufgestanden und aus dem Raum gegangen, jetzt schaue ich auf seine Brille – er sitzt deutlich höher als ich, er stiert auf mich herab und freut sich.

Aber dann wird es ihm langweilig, weil ich nichts sage. »Ich mache dir einen Vorschlag«, sagt er nach einer längeren Pause. »Du kannst alle Tiere befreien, alle, stell dir das vor – obwohl das Blödsinn wäre, sie würden verhungern, was wollten diese vielen tausend Tiere in der sogenannten Freiheit – wenn ...«, er dehnt das Wort genüsslich, »wenn du mir mit der Bibel beweisen kannst, dass dieses Freilassen der Tiere dem Willen von Jesus oder auch, wenn du willst, dem Willen von Gott, entspricht.« Ich schaue die ganze Zeit über auf seine Brille. Er fügt noch hinzu: »Du hast eine halbe Stunde Zeit!«

»Ich habe keine Bibel hier!«

Es ist ein Spiel für ihn, er will mir wieder einmal seine Überlegenheit beweisen. »Komm zu mir!«

Ich setze mich auf die hohe Stufe, ziehe mich langsam, mühsam hoch. Er sagt, ich solle mich an einen seiner Computer setzen und den Bibelserver einstellen. »So. Jetzt kannst du suchen. Du hast eine halbe Stunde Zeit.«

Ich sehe in sein mir jetzt nahes, zugewendetes Gesicht, das vom Licht, das durch das vorhanglose Fenster hinter ihm fällt, beschienen wird. Ich kenne dieses Gesicht; die Falten, die kurze Narbe auf dem Buckel in der Stirne rechts. »Du versprichst mir, dass du alle freilässt, wenn ich mit einem Zitat aus der Bibel beweisen kann, dass Gott nicht will, dass diese Tiere in der Gefangenschaft existieren!«

Er schiebt das Kinn nach vorne und nickt gewichtig. »Gott oder Jesus – du hast die Wahl. Nicht irgendein Prophet!«

»Und wenn ich es nicht schaffe?«

»Dann bleibst du hier«, lächelt er. »Ich kann jemanden brauchen, der die Fliegen im Griff hat – und wer immer mit dir hergekommen ist, verreckt draussen vor dem Tor.« Martin, er weiss von Martin!

Der Mann im Rollstuhl greift nach der Maus, die zum Computer vor mir gehört, drückt kurz darauf und sagt leise: »Die Zeit läuft.« Auf meinem Bildschirm ist nun eine Uhr eingeblendet, etwa zehn Zentimeter im Durchmesser, deren Sekundenzeiger geschäftig im Kreis rennt.

Ich schrecke zusammen. Ich spüre die Angst in meinem Innern. Die Angst breitet sich aus, bis zum Kinn, bis in die Knie. Aber dann zwinge ich mich, an den Delfin zu denken, dessen Bild zuhause im Wohnzimmer hängt. Es gibt das, diese blaue Freude, es gibt das Glück und das Vertrauen. Auf einmal – unvermittelt – kommt mir der Satz: Herr, erbarme dich! in den Sinn. Ich strecke die Hand nach der Maus aus.

Als erstes suche ich den Satz, den x zitiert hat, und sehe: Es ist richtig, was er gesagt hat. Jesus hat zu den bösen Menschen, zu denen, die verdammt werden sollen, gesagt: »Ich war krank und im Gefängnis und ihr habt mich nicht besucht.« Es nützt nichts, denke ich, wenn man die Menschen, die gefangen sind, besucht, man muss sie befreien! Mich hat nie jemand besucht, denke ich, aber dann kommt mir der Verdacht, dass ich es vielleicht gar nicht bemerkt habe, falls jemand doch gekommen ist. Meine Hand krampft sich um die Maus.

Ich suche weiter mit den Begriffen »Befreiung« und »befreien«, finde aber keine sinnvolle Antwort. Der Sekundenzeiger der Uhr zuckt immer weiter, die Minuten vergehen. Dann suche ich mit dem Schlagwort »Freiheit« und finde einen wundervollen Satz: »Der HERR hat mich gesandt, … zu verkündigen den Gefangenen die Freiheit, den Gebundenen, dass sie frei und ledig sein sollen.« Aber das sagt ein Prophet, und der Mann im Rollstuhl hat ja gesagt, dass das nicht gelte. Und jetzt?

Ich tippe »hilf« ein, es kommen viele virtuelle Seiten voll von Zitaten. Ich gehe sie alle durch, eines nach dem anderen, aber es ist nichts dabei, nichts was mir helfen könnte.

Meine Hände zittern. Ich sehe auf dem Bildschirm: noch drei Minuten. Und während ich »drei Minuten« denke, ist der Zeiger auf dem Bildschirm schon wieder vorgerückt. Der Delfin. Ich versuche mir vorzustellen, wie er im Blauen springt. Vielleicht hat er sich von dem Haken an der Wand gelöst, weil er es nicht mehr ausgehalten hat in meinem Wohnzimmer, denke ich, und der Gedanke lässt mich lächeln. In dem Moment höre ich in

mir den Satz »Liebe deinen Nächsten wie dich selbst!«
Es ist ein bekannter Satz, ein Sprichwort sozusagen, jeder kennt diesen Satz, ist er wirklich aus der Bibel? Ich tippe das Stichwort »Liebe deinen Nächsten« ein.

Der Computer bietet wenig Zitate an. Aber schon beim vierten, das ich hastig durchlese, weiss ich, dass ich gewonnen habe.

»Ich hab's gefunden!«, sage ich laut. x, der am Computer nebenan dabei ist, ein Kreuzworträtsel zu bauen, schaut auf. »Das ist nicht möglich«, sagt er scharf.

»Doch, und die halbe Stunde ist noch nicht um!« Ich weise auf den Bildschirm. Zehn Sekunden, neun Sekunden, acht Sekunden …

Er nickt. »Du bist innerhalb der Zeitlimite.« Er rollt mit dem Stuhl etwas zurück und schaut mich voll an.

»Pass auf«, sage ich. Ich höre mich mit fester Stimme sprechen, aber ich zittere; ich spüre die Angst noch in mir, obschon ich ja voller Freude sein müsste. Ich sage: »Jesus aber antwortete«, und unterbreche mich, »es ist Jesus, das ist ja deine Bedingung, der hier spricht, also: Jesus aber antwortete ihm: »Du sollst den Herrn, deinen Gott, lieben von ganzem Herzen, von ganzer Seele und von ganzem Gemüt. Dies ist das höchste und grösste Gebot««. Und jetzt spreche ich langsam, ganz langsam, dafür aber so laut wie ich kann: »Das andere aber ist dem gleich: »Du sollst deinen Nächsten lieben wie dich selbst««

»Ja und?«, fragt er. Aber er wirkt nicht mehr ganz so sicher.

»Es ist das höchste Gebot. Du sollst deinen Nächsten lieben wie dich selbst!«

»Du willst behaupten, dass diese Nerze meine«, er dehnt das Wort, »*Nächsten* sind?«

»Sicher. Wer denn sonst? Die Fliegen in der Küche etwa?«

Er schweigt.

»Oder ich?«

Er schweigt.

»Das, was du tust, widerspricht dem Willen Gottes.« Ich mache eine kurze Pause, und mein Blick erforscht nochmals sein Gesicht, das mir so bekannt ist, und seine Hände. »Und du liebst dich selbst nicht. Das hat Gott auch verboten.«

Sein Mund öffnet sich leicht, sein Gesicht wird grau. Er dreht den Kopf weg.

»Jetzt musst du dein Wort halten!«

Seine Augen ziehen sich zusammen. Sein Gesicht schrumpft. Seine rechte Hand lässt die Maus los, sie hebt sich wie von alleine – wahrscheinlich würde er sich gerne an die Kehle greifen, aber dann greift er wieder zur Maus. »Schau auf deinen Bildschirm«, sagt er scharf. Die Bibelstellen verschwinden. Auf dem grossen Monitor erscheint der Plan des Anwesens. x zoomt auf die eiserne Mauer. Und jetzt erkenne ich, dass es in dieser Mauer Pforten hat. Er berührt diese Pforten mit dem Mauszeiger und öffnet jede einzelne mit einem Klick. »Und jetzt«, sagt er. Auf dem Monitor erscheint der Plan der langen Reihen mit den Gitterkäfigen. »So«, sagt er. Bevor er »so« gesagt hat, hat er in seine Tasten etwas eingetippt. Er blickt angewidert vor sich hin.

»Hau ab«, sagt er. »Du hast jetzt, was du willst.«

Ich schüttle den Kopf. »Nein. Du musst noch das Haupttor öffnen.«

Er schnaubt durch die Nase: »Martin ... du willst zu Martin!«

Ich stehe auf und sage: »Ja.« Jetzt bin ich grösser als er. Ich wiederhole: »Du musst das Haupttor öffnen!«

Der Plan der Käfige verschwindet vom Monitor und der erste Plan erscheint erneut. Dann folgt der Ausschnitt, der das Haupttor zeigt. Mit einem Klick öffnet er dieses Tor. Dann schreit er: »Geh jetzt!«

»Ich gehe!«, sage ich.

Ich setze mich ungelenk auf die Rampe, lasse mich nach unten gleiten und stelle mich nochmals vor ihn hin. »Danke!«, sage ich zu ihm. Er schaut angeekelt in meine Richtung.

»Es ist dir offenbar nicht klar, dass diese Käfige mit neuen Nerzen gefüllt werden, dass neue Tiere in mein Jagdgebiet gebracht werden. Was du machst, ist nicht nur kontraproduktiv, es ist sinnlos!«

Ich drehe mich um und gehe. Ich gehe die Treppe hinab und dann zur Türe hinaus. Draussen dämmert es bereits, es ist kühl. Der Gestank der Exkremente der Nerze ist in der Luft, aber die Schreie der Tiere sind verstummt.

Ich gehe auf die Käfige zu: Sie stehen offen. Viele der befreiten Tiere sind schon weit weg, einige befinden sich noch auf der Höhe der vordersten Käfige. Aber alle fliehen in die Richtung, in die auch ich gehe: zum Haupttor, keines wendet sich zum Haus, zum Wald hinter dem Haus. Wie Schatten hasten sie an mir vorbei, vor mir her, während ich durch die leeren Käfigreihen zum Haupttor gehe. Es ist ein langer Weg. Die Tiere sind schneller als ich. Als ich zum Tor komme, steht es weit offen. Ich blicke mich um, ob hinter mir kleine Tiere sind, die den Ausgang noch nicht gefunden haben. Ich sehe keines mehr. Ich trete durchs Tor. Draussen steht Martin. Er trägt meine Jacke in der Hand und legt sie mir um. Er umarmt mich. Ich lege den Kopf an seine Schulter und atme ein und aus.

Plötzlich begreife ich. Ich wende meinen Kopf nach oben, um sein Gesicht zu sehen, es ist allerdings so dunkel, dass ich dieses Gesicht nur ahne. »Martin«, sage ich, »du bist drinnen gewesen.«

»Ja«, sagt er. Seine Stimme tönt ruhig und froh, anders als bisher.

»Wer war x, als du drinnen gewesen bist?«

»Sophie«, sagt er und berührt mit einer Hand kurz mein Haar: »Das einzig Wichtige ist, dass du es geschafft hast.«

Hinter mir vernehme ich einen kleinen Ruck. Ich weiss, dass sich das Haupttor erneut geschlossen hat.

Franziska Häny
Der Rote Norden
Roman

© Weissbooks GmbH Frankfurt am Main 2013
Alle Rechte vorbehalten

Konzept Design
Gottschalk+Ash Int'l

Umschlaggestaltung
Julia Borgwardt, borgwardt design
Unter Verwendung von Motiven von
© iStockphoto LP, Nicholas Moru und Chaiwat Kwannoi

Foto Franziska Häny
© Christina Ruloff

Druck und Bindung
CPI Clausen & Bosse, Leck
Printed in Germany
Erste Auflage 2013
ISBN 978-3-86337-029-9

Dieses Buch ist auch als eBook erhältlich
ISBN 978-3-86337-030-5

weissbooks.com

Dieses Buch wurde auf FSC®-zertifiziertem Papier gedruckt. FSC® (Forest Steward-ship Council) ist eine nichtstaatliche, gemeinnützige Organisation, die sich für eine ökologische und sozialverantwortliche Nutzung der Wälder unserer Erde einsetzt.

MIX
Papier aus verantwortungsvollen Quellen
FSC® C083411